Dr. Pierre Dukan

Confeitaria Dukan
As sobremesas do Método Dukan

Com a preciosa contribuição de Rachel Levy

Tradução de Suelen Lopes

1ª edição

Rio de Janeiro | 2013

Sumário

06 | **Introdução**

Panquecas e crepes
24 | Panquecas doces de farelo de aveia
26 | Crepe gelado de chocolate

Hora do chá
28 | Línguas de gato à Dukan
30 | Madeleines com flor de laranjeira
32 | Cookies de chocolate
34 | Pão de mel
36 | Muffins
38 | Muffins de abóbora
40 | Biscoitos amanteigados de farelo de aveia
42 | Biscoito rápido
44 | Biscoitos caseiros tipo champagne
46 | Merengues moca
48 | Suspiros
50 | Bolinhos de coco
52 | Macarons de avelã
54 | Biscoitos Amaretti

Bolos & pães
56 | Suflê de laranja
58 | Pão de ló
60 | Brioche de dois farelos com água de flor de laranjeira
62 | Broa de erva-doce
64 | Pão de especiarias
66 | Bolo de iogurte
68 | Cake de cenoura ou bolo de cenoura à francesa
70 | Excelentíssimo
72 | Bolo mármore de chocolate e baunilha sem farelo de aveia
74 | Bolo de café com cacau
76 | Bolo de cenoura
78 | Bolo de chocolate
80 | Bolo de laranja
82 | Bolo de tapioca
84 | Bolo de limão
86 | Bolo de milho e coco
88 | Bolo de morango
90 | Bolo de banana
92 | Bolinho de requeijão com coco
94 | Bolinho rápido de caneca

Tortas
96 | Torta de baunilha

Cheesecakes
98 | Bolo de queijo
100 | Cheesecake

Sorvetes
102 | Granita de café e canela
104 | Sorvete italiano de morango
106 | Picolé de baunilha
108 | Sorvete com creme sabayon sem sorveteira
110 | Sorvete de coco das Antilhas com sorveteira elétrica
112 | Sorvete caseiro de iogurte
114 | Sorvete caseiro de baunilha

Guloseimas
116 | Trufas
118 | Beijinho de coco
120 | Bicho de pé
122 | Bolinhos tipo bem-casado
124 | Brigadeiro de chuchu
126 | Brigadeiro de colher
128 | Churros
130 | Barra de cereal de chocolate e tangerina
132 | Bala proteica de gelatina

Mousses
134 | Mousse de tofu soft à Belle Hélène
136 | Mousse com raspas de limão
138 | Mousse de chocolate com menta
140 | Mousse de chocolate
142 | Ambrosia

Flans & pudins
144 | Flan de ovos
146 | Loucura branca
148 | Creme bávaro com avelã
150 | Creme de caramelo e ágar-ágar
152 | Gelatina de frutas
154 | Creme de ovos
156 | Creme de chocolate com laranja
158 | Creme de chocolate Dukanette
160 | Creme de café
162 | Flan de baunilha
164 | Pudim de café
166 | Pudim de leite
168 | Pudim de iogurte caseiro
170 | Pudim na xícara
172 | Bolo-pudim de coco

174 | Bolo-pudim de chocolate
176 | Muhallebi de Istambul
178 | Panna cotta de cereja e amêndoa
180 | Creme de chocolate e banana com tofu

Rocamboles
182 | Rocambole de chocolate
184 | Rocambole de chocolate com recheio de creme de coco

Grandes clássicos revisitados
186 | Mil-folhas redondo
188 | Petit gâteau à francesa
190 | Petit gâteau à brasileira
192 | Tiramisu "The Residence"
194 | Cannelé à Dukan
196 | Bolo levíssimo de chocolate de Gênova
198 | Ilhas flutuantes
200 | Cupcakes de choco-framboesa e de choco-menta
202 | Bolo do rei à Dukan
204 | Torta de Saint-Tropez à Dukan
206 | Rabanada à francesa

Sobremesa para beber
208 | Lassi de manga

Sobremesas de consolidação
210 | Gelatina de rosa com manga e lichia
212 | Compota de frutas vermelhas e ágar-ágar
214 | Gelatina de pera
216 | Smoothie de hortelã e frutas vermelhas
218 | Maçãs ao merengue gelado

Ao escrever este livro, permaneço em sintonia com uma das promessas que me fiz: jamais oferecer às leitoras e aos leitores que me concederam sua afetuosa confiança algo inútil ou vão, do qual não tenho certeza da necessidade e da legitimidade.

Posso apostar que se comprou *Confeitaria Dukan* com certeza já leu meus outros livros. Como em uma refeição, não devemos começar o método pelo fim, a sobremesa, e sim pela apresentação do menu, ou seja, pelo roteiro do nosso percurso: os 100 alimentos e as quatro fases. Você já conhece, portanto, meu método; provavelmente já o experimentou, e se continua a ler meus livros é porque apreciou minha ajuda.

Você pertence a este público que não conheço pessoalmente, mas pelo qual tenho grande afeição, e digo isso da forma mais simples possível. Por quê? Simplesmente porque desde que vocês passaram a existir diante dos meus olhos meu mundo mudou. Sempre fui um homem feliz, mas há dois ou três anos essa simples felicidade chega muito perto do sétimo céu. Penso em vocês quase todos os momentos do meu dia – com as inúmeras cartas que os leitores me enviam, os e-mails de internautas, as mensagens e as perguntas e telefonemas buscando ajuda daqueles que aderiram à consultoria on-line.

Em minha idade, a glória e o dinheiro não podem trazer o que a presença de vocês concede. Com isso em mente, falo a partir de agora com amigos: é mais divertido, caloroso e dá livre curso à imaginação...

Alguns pensarão que já escrevi muitas obras, e por sinal é verdade, mas nenhuma delas é supranumerária. Cada uma tem seu espaço e sua necessidade como apoio para o seguimento de minha dieta. E a cada vez que pude ponderar as decisões de meus editores, o fiz para limitar o preço de meus livros.

Assim, visto que passamos a maior parte da vida lutando contra o sobrepeso, escrever um livro inteiro sobre receitas e lhe dar o nome de *Confeitaria Dukan* pode parecer uma grande provocação.

Como nasceu a ideia desta obra?

Quando dei o primeiro passo na constituição do meu método, eu era bem mais jovem e ardoroso, e minha dieta, que se tornaria em seguida um plano alimentar, era limitada a alimentos de base – os 66 alimentos ricos em proteína e pobres em gorduras mais 34 legumes. Nessa época, os laticínios magros ainda eram estudados, os adoçantes maldesenvolvidos, os produtos light derivados de carne não existiam e eu desconhecia a existência do kani e mesmo do farelo de aveia.

Atualmente este cenário melhorou de forma radical. A cada dia chegam novos alimentos, adjuvantes de sabor, novos utensílios e métodos de fabricação que dão às minhas proteínas e legumes uma roupagem mais interessante e melhor desempenho.

Por outro lado, com o passar dos anos o número de utilizadores e, sobretudo, de utilizadoras do meu método aumenta, assim como a quantidade de pessoas de inúmeros países que gostam de comer. Quando milhões de mulheres buscam produzir música de alto nível com notas simplíssimas, o saboroso e o sofisticado com o elementar, elas realizam milagres. E assim nasceu a *Confeitaria Dukan*.

Tudo foi feito com os mais indispensáveis ingredientes do sucesso: tempo, pessoas e motivação. Milhões de mulheres apaixonadas pelo sabor do açúcar, anos de pesquisa individual e mudanças e forte motivação para emagrecer sem sadismo nem masoquismo compuseram lentamente este *corpus* de receitas de doces, que orquestrei e dirigi para não desesperar minhas "loucas por açúcar".

Para estas mulheres e um certo número de homens devo confessar uma fraqueza e uma simpatia particulares, pois eu mesmo fui uma criança gulosa e hoje em dia vivo cercado por uma mulher e dois filhos que gostam muito de comer. Isso diz tudo.

Há alguns anos posso dizer a meus pacientes e leitores que é possível emagrecer limitando as frustrações. Hoje posso lhes assegurar que podem emagrecer sem engordar novamente e desfrutando o prazer. Melhor, eu lhes diria que o fato de saber preparar doces compatíveis com os alimentos da minha dieta lhes permite reduzir a frustração e, portanto, emagrecer melhor. Isso lhes dá maiores chances de estabilizar o peso a longo prazo.

Já tive a oportunidade de dizer a vocês em diversos fóruns e palestras: para mim, o fundamento do "problema de Engordar e Emagrecer" se situa no registro do prazer e do desprazer. Excluindo-se causas acessórias, acidentais ou genéticas, engorda-se para compensar o desprazer, o sofrimento e o mal-estar, e apenas se consegue emagrecer ao atenuar a frustração causada pela dieta e ao reencontrar o prazer.

Se um grande número de dietas e métodos fracassam é porque ignoram essa noção de Prazer/Desprazer que está no centro de toda motivação e da manutenção dela ao longo do tempo.

Tenho a sorte de ter uma vasta experiência prática, suficiente para me fornecer pseudoevidências vindas do mundo da nutrição acadêmica. Para essa ciência bastante jovem e que busca seu lugar junto às ciências exatas – ciências de números e equações –

nós engordamos quando a soma das calorias fornecidas ao corpo é maior que os gastos calóricos desse mesmo corpo. Peguem as calculadoras e esqueçam o restante.

Esse tipo de sistema poderia funcionar para uma máquina, um prisioneiro em sua cela, uma criança em seu berço ou um rato de laboratório em sua gaiola, para os quais não há outra opção a não ser consumir o que decidiram lhes dar. Mas para você, leitora ou leitor, funciona de uma forma totalmente diferente. Você tem no seu bolso um cartão de débito ou crédito e um talão de cheques que lhe dão liberdade para atender seus desejos, todo o poder para comprar alimentos à sua escolha e tê-los em seu armário.

Como acabamos engordando?

Reflita por um instante e pergunte-se o que o levou a colocar os alimentos na boca, ao ponto de ter engordado e acumulado, quilo após quilo, esse peso detestável.

Apresento a vocês o que sei e escuto todo dia, há bastante tempo, da maioria das pessoas que me confidenciam suas vidas, e o que pude apreender com isso.

Quando você come além das suas necessidades biológicas até engordar, não é para satisfazer uma fome verdadeira gerada por seus bilhões de células privadas de glicose. É ainda menos para obter o que o ensino da nutrição define como quantidade de calorias e nutrientes "normais".

Trata-se de outra coisa. Você utiliza esses alimentos para que eles transportem aquilo que é mais precioso em nosso mundo ao mesmo tempo riquíssimo e árduo: a fabricação de um certo tipo de sensações que, ao chegarem ao seu cérebro, têm o poder de criar o prazer e um poder ainda mais sofisticado, o de neutralizar o desprazer. Vou explicar melhor.

Imaginemos que suas vidas amorosa, familiar e profissional não lhe deem prazer suficiente e que isso reduza o seu desenvolvimento – um pouco como uma planta privada de água e sol. Posso apostar que você ficará tentado(a) a levar à boca um alimento que percorrerá seu corpo para desencadear o prazer. Essa decisão do que levar à boca não é tomada conscientemente nem voluntariamente por você, ela é tomada nas profundezas de seu velho cérebro, o cérebro animal que gerencia sua sobrevivência. Trata-se de duas minúsculas zonas alojadas no hipotálamo e no sistema límbico, responsáveis pela gestão de tudo que se refere ao apego, à sexualidade, ao território etc.

Imaginemos agora que a causa não seja a falta de prazer, mas o alto desprazer, as contrariedades e o estresse que o agridem: a reação instintiva e automática das mesmas zonas cerebrais é acionada. Você coloca alimentos na boca para neutralizar esse aumento de desprazer e evitar que o acúmulo de sofrimentos não apaziguados o conduza passo a passo a um quadro de depressão. Aqui também não é o seu Eu consciente e voluntário que toma a decisão, mas sim seu programa integrado de sobrevivência, comum a todos os mamíferos. Nesse caso, o processo é um pouco mais complexo e indireto: seu cérebro não produz o prazer para adicioná-lo ao seu desenvolvimento, mas para neutralizar o excesso de desprazer. Tudo isso pode parecer complexo, porém nada é mais simples. O funcionamento emocional e instintivo do homem e dos animais mais desenvolvidos é dirigido por um leme bilateral: um lado orienta para o prazer, o outro, para o desprazer, mas há apenas um comando intangível, navegar trazendo o timão para o meio. Se o vento da vida orienta sua navegação para a falta de prazer ou o extravasamento do desprazer, seus mecanismos de sobrevivência serão acionados para corrigir o desvio em questão, a fim de retomar o curso.

Você compreendeu que se engorda ao comer além das necessidades energéticas do corpo para encontrar o prazer. Como abandonar essa muleta alimentar e se pôr contra uma medida tão prioritária da sobrevivência para conseguir emagrecer?

É evidente que não bastará apenas decretar a redução da quantidade de calorias ingeridas. Será preciso encontrar outro meio de fabricar o prazer que não o do alimento que faz mal, o alimento engordativo.

Produzir prazer buscando o emagrecimento

O primeiro de todos os prazeres para uma pessoa que busca emagrecer é precisamente emagrecer, emagrecer rápido, sobretudo no começo, para acreditar e fabricar o sucesso que, por sua vez, produz o prazer. Para isso, é preciso uma dieta com um início forte; é por este motivo que minha primeira fase é chamada de "ataque", e dura apenas alguns dias. No entanto, dá um empurrão na balança.

Outro prazer, sobretudo para a mulher, é ver seu corpo mudar, senti-lo ao se tocar ou ao vestir confortavelmente peças de roupa abandonadas há tempos, e aceitar se olhar no espelho.

Mais um prazer é fabricar o sucesso, a realização, a confiança em si e a autoestima: eis por que fazer o cérebro aceitar a redução do prazer de origem alimentar.

Há também esse prazer surpreendente e infelizmente pouco conhecido que consiste simplesmente em se mexer. Trata-se de uma descoberta recente no campo das neurociências, pouco conhecida da comunidade médica francesa e totalmente ignorada pelo grande público. Descobriu-se que a atividade física de nível moderado para um indivíduo comum, três horas por semana, conduz os músculos e o cérebro à produção de três mediadores químicos: a serotonina, que proporciona alegria e prazer; a dopamina, que proporciona o desejo e a energia; e a noradrenalina, que mantém a disposição e estimula a vigilância, a atenção e o nível de consciência. Lembro a vocês que a atividade física, sobretudo a caminhada, é indispensável: 20 minutos por dia na Fase de Ataque, 30 minutos na Fase Cruzeiro, 25 na Consolidação e 20 minutos por dia para o resto da vida em Estabilização definitiva.

Paralelamente, para neutralizar o desprazer, sempre proponho 100 alimentos À VONTADE, o que evita o sofrimento e a frustração causados pela fome.

Há ainda o acompanhamento, a supervisão que anestesia a frustração, razão pela qual criei a consultoria on-line com uma relação pessoal e um diálogo cotidiano de mão dupla.

É ótimo buscar emagrecer junto a outras pessoas, em um fórum ou se inserindo em um blog baseado na cumplicidade e no esforço, para reduzir o desprazer e a frustração que engendram a dieta.

Produzir prazer com 100 alimentos. É possível!

Finalmente, era a este ponto que eu queria chegar. É possível produzir prazer comendo, porém, sem se deixar levar pela facilidade e a tentação imediata e habitual do doce, do gorduroso, do calórico. Nós atingimos esse ponto ao preço da reflexão, privilegiando a inventividade para preparar os alimentos capazes de gerar prazer, mantendo o registro dos 100 alimentos de meu método e seus adjuvantes.

Já existiam inúmeras receitas no site www.dietadukan.com.br, e todas disponibilizadas na área de assinantes, no link "Minhas Receitas". A pesquisa e a inventividade de todos os membros da comunidade Dieta Dukan permitem hoje realizar uma obra dedicada ao que há de mais certeiro para produzir prazer, na boca e à mesa: OS DOCES! O objeto deste livro constitui um passo a mais em direção à vitória contra o sobrepeso, à resposta para aquilo que considero a causa primeira e oculta do sobrepeso: a utilização do alimento rico hipersensorialmente, doce ou gorduroso, para produzir prazer ou neutralizar o desprazer. Estamos no cerne do assunto, entraremos agora naquilo que uma obra inteiramente dedicada à confeitaria "útil para emagrecer" pode lhe trazer.

Cérebro e prazer

Saber preparar em alguns minutos uma panqueca de farelo de aveia. Com a mesma rapidez, preparar uma fornada de muffins, um cheesecake, um pão de especiarias, um flan, uma mousse e integrar todo esse aprendizado emagrecendo rápido e constantemente. Isso inscreverá este hábito entre os comportamentos de sobrevivência, ou seja, os comportamentos "fortemente incitadores e protegidos do esquecimento". Esse *savoir-faire* desenvolvido em meio à adversidade e à restrição se torna uma pompa e uma garantia de segurança no período de estabilização. Como podemos abandonar ferramentas e comportamentos tão úteis e bem-sucedidos?

Antes de permitir que você chegue às receitas e ao modo de preparo de cada uma delas, gostaria de aprofundar o que acabei de explicar sobre o prazer. Talvez você pense que eu insisto demais nessas noções complexas relacionadas às neurociências, no entanto, além de ser um assunto que me fascina, penso que é capaz de ajudá-lo imensamente se você dedicar alguma atenção a ele. E é por isso que retomo a descrição, tentando ampliá-la.

Creio que vivemos hoje em um mundo desencantado, de ideais desertados, e onde o consumo, o material e o modelo econômico governam nossas vidas sem ímpeto, sonho ou magia.

Penso do fundo do coração que há em cada ser humano uma mente curiosa que busca se nutrir com informações e se elevar, saindo do cotidiano para algo superior, mas que o modelo econômico de nossas sociedades o leva de volta ao consumo e ao sufocamento rente ao chão. E nesse local raso há a "comilança" que faz engordar.

Considero que este assunto que tento apresentar a você, digo sem exagero ou ênfase, pode e vai se tornar o próximo grande ideal da humanidade: saber como nosso cérebro é programado para nos ajudar a gostar de viver, ter desejo e necessidade de viver. E acredito que os que irão aproveitá-lo primeiro e da melhor maneira são os obesos, os gordos e as pessoas com depressão.

Saber como funciona o instrumento ou o objeto mais complexo do universo conhecido é de tal beleza e, sobretudo, de tal interesse prático que vai satisfazer nossa insaciável necessidade de compreender e de descobrir. Ademais, isso nos dará, dará a você que me lê, os meios mais seguros de se dirigir aos objetivos de toda vida: existir tendo prazer em existir, extrair felicidade da vida.

Esse questionamento nasceu e se inscreveu na luta pessoal que travo há quarenta anos contra o sobrepeso. Minha experiência por intermédio do encontro com tantos pacientes que buscam emagrecer me convenceu de que o sobrepeso sempre nasce em um plano de insatisfação, de mal-estar, de sofrimento, de vulnerabilidade e de intolerância ao estresse. Assim, obtive a convicção de que o sobrepeso era o indicador sociológico de um modo de vida insatisfatório, seja por causa de uma dificuldade passageira ou durável para prosperar, seja por conta do acúmulo de estresse.

A maioria das pessoas que já se consultou comigo para que eu as ajudasse a emagrecer detestava seu sobrepeso. Elas estavam prontas para se esforçar muito para perdê-lo (ou perdê-lo mais uma vez). Confessavam, no entanto, que adquirir o sobrepeso foi uma maneira de aliviar um sofrimento ainda maior que aquele que experimentam ao engordar.

Jamais esqueça que VOCÊ, o conjunto completo que o compõe, é formado por um corpo e uma psique. A gestão de seu corpo é totalmente automática, ela se dá por reflexo e se apoia em uma lei simples: a lei do retorno ao equilíbrio, que os sábios nomearam com um termo bárbaro, a "homeostasia". Essa regra explica a fisiologia e a sobrevivência de todos os animais mais desenvolvidos, inclusive o homem. Trata-se do princípio vital que permite ao corpo ativar as medidas necessárias para retornar ao equilíbrio quando se afasta dele. O corpo reage dessa forma às agressões externas por intermédio de adaptações de seu meio interno. Assim, quando você tem necessidade de beber água e seu corpo desidrata, seu cérebro ativa a sede que vem à boca e o incita a beber algo; ou, ainda, quando se está em um local frio, o corpo treme para produzir calor e se aquecer. Milhares de exemplos como estes protegem nossa vida continuamente.

Por ter observado essas manifestações por tanto tempo ao interrogar meus pacientes em minha longa vida profissional, pude constatar e estabelecer que assim como existe uma homeostasia que rege nossas funções vitais, há também uma homeostasia que rege nosso acesso ao prazer. O interesse desta descoberta está em considerar que, também neste caso, tudo funciona de maneira automática e inconsciente.

Dessa forma, no momento em que a carência de prazer se apresenta de maneira crônica em nossa existência ou se, o que dá no mesmo, você é tomado por estresse em demasia, seu cérebro é programado para levá-lo, por todos os meios disponíveis, a encontrar prazer suficiente para que você não abandone o projeto central de sua existência: permanecer vivo. Percebo cotidianamente que quando uma de minhas pacientes não consegue extrair satisfações suficientes do dia a dia e se sobressair, comportamentos se apresentam instintivamente para obtê-los, custe o que custar e em tudo que seja possível. A finalidade dessa reação instintiva é evitar que nossa busca por prazer não decresça e fique abaixo de um limiar – que chamo de salário mínimo do prazer –, a partir do qual o desejo de viver defina até nos levar ao modo depressivo e, em seguida, ao modo de extinção.

A lei do prazer

Por que e em virtude de qual lei ou razão precisa-se do prazer para sobreviver?

Porque, e todos os mamíferos funcionam da mesma forma, nós temos no fundo de nosso cérebro animal uma zona que comanda de maneira automática e inconsciente a nossa existência para que permanecer vivo seja um objetivo prioritário, para que lutemos para viver e não para morrer.

Eu chamo essa zona de Pulsar, porque ela emite uma pulsação de vida automaticamente, comparada àquela do coração do feto. Essa pulsação surge desde que o zigoto – encontro após fusão do óvulo com o espermatozoide – se desenvolveu para não ser um simples pedaço da mãe. Essa pulsação se inicia bem cedo, nos primeiros meses de vida uterina, e só é interrompida pela morte. A intensidade dessa pulsação varia de acordo com as facilidades e dificuldades da vida e, de maneira crítica, com os estados depressivos mais sérios, que podem ir até a parada da emissão de pulsação e o suicídio.

A pergunta que por mais tempo me martelou e a qual acabei respondendo era saber qual força ou energia dava vida a esse Pulsar, o que o "nutria" e causava sua emissão na busca pela sobrevivência. Atenção, leitor, entraremos agora em uma zona que toca a essência; coloque os cintos, ela vai até a compreensão da vida em seu nível elementar.

Para compreender como funciona nosso Pulsar é preciso pensá-lo como um motor que produz a coisa mais preciosa do mundo: o desejo e a energia efervescentes de viver. Esse motor que nos mobiliza é conduzido por um leme que orienta e canaliza essa força tumultuosa e desordenante. A direção é apoiada pelas duas pequenas zonas das quais já falei: a do prazer e a do desprazer, gerando a recompensa e a punição.

Nossos comportamentos instintivos, aqueles, por exemplo, que nos impulsionam a nos alimentar e a reproduzir, entre outros, são geneticamente programados para nos conduzir ao prazer e evitar o desprazer. Grande parte do mistério e do interesse da vida se situa no sucesso e na eficácia desses comportamentos. E o que busca a vida, mesmo sem que o saibamos, o que a energia do

Pulsar, as orientações do leme e os comportamentos de busca tendem, através de nós, a procurar por todos os meios, é justamente esse prazer, sempre esse prazer.

O que você deve legitimamente se indagar é: por que o prazer é indispensável? Poderíamos muito bem viver sem o prazer, não? Vemo-nos, então, no cerne do fundamento da existência e, quando terminar a demonstração, se você a tiver compreendido bem e aproveitado esse conhecimento, vai realizar tudo o que importa para fazer de sua vida uma vida feliz.

Antes de seguir adiante, voltemos à palavra "prazer". Ela teve de ser uma das primeiras palavras criadas pelo homem. Hoje, é um vocábulo que foi tão utilizado que seu sentido se tornou impreciso. Quando se fala em prazer, temos tendência a pensar apenas na simples e agradável sensação que "nos dá prazer". Em parte está correto, mas o crucial é que ao mesmo tempo pensamos que essa sensação, além do prazer sentido, "nos faz bem".

Talvez você pense que se trata apenas de uma nuance sem grande importância. Está enganado, pois entre "prazer" e "bem" há um mundo, e é preciso compreender esse mundo – não se preocupe, é simplíssimo, como a vida.

De fato, camuflado sob esta sensação de "prazer agradável" que conhecemos viaja um passageiro discreto, a essência daquilo que todos buscamos, sem saber, do primeiro ao último dia de nossa vida: a energia vital, a forma que nos impulsiona a viver e a não morrer. Viajando junto, o primeiro a se manifestar é o prazer que nos fornece uma sensação agradável e se extingue. O segundo passageiro, invisível e sozinho na pista, continua seu caminho que o conduz até o Pulsar. A missão desse passageiro é levar ao Pulsar a energia que ele transporta para recarregá-lo e fechar, assim, o ciclo da vida: um Pulsar que pulsa, um leme que orienta, comportamentos instintivos que recolhem o prazer e uma alimentação conjunta que recarrega o Pulsar.

Por meio desse mecanismo, você deve compreender que se a colheita dessa alimentação gêmea do prazer é insuficiente, e duradouramente insuficiente, a potência de seu Pulsar arrisca enfraquecer e, com ela, sua energia vital, que é simplesmente o seu desejo de viver!

Essa alimentação vital, viajando discretamente sob a exuberância do prazer, participa de tal forma da evidência intuitiva da vida que ela jamais recebeu um nome, esquecemo-nos dela ao assimilá-la, seja ao prazer ou ao conceito vago de instinto de preservação.

Para selar sua existência, circunscrever seu território, fixá-la e poder utilizá-la, era preciso lhe dar um nome. Eu a chamei de

Satisficência, para considerar na mesma palavra a satisfação e a beneficência. Atenção, não estou lhe dando um curso de fisiologia ou de filosofia, eu o levo bem concretamente ao nosso assunto comum, seu sobrepeso.

A fim de compreender na prática e na vida cotidiana como uma colheita insuficiente de *Satisficência* pode ecoar na qualidade da experiência vivida, peguemos o exemplo da depressão, infelizmente tão frequente em nossos dias.

Se você é dotado(a) de uma vulnerabilidade afetiva e, além disso, uma sucessão de estresse e agressões o perturba, sua receita de prazer vai se esgotar. A produção de *Satisficência* também baixará, seu Pulsar de vida não se recarregará mais e a energia vital que ele secreta declinará. O humor desbota, os projetos se desconstroem, a energia vital baixa, a fadiga se torna onipresente e o sono fica entrecortado. Uma manhã, o desejo de sair da cama se apaga e com ele a colheita do prazer. Tudo se estagna.

Outrora, um estado depressivo podia levar ao asilo. Hoje, os antidepressivos asseguram o papel que a *Satisficência* não pode mais representar: secretar os mediadores químicos capazes de recarregar o Pulsar de vida.

Sobrepeso e gestão do prazer

Chegamos agora ao registro que nos interessa aqui: o sobrepeso e sua ligação direta com a gestão do prazer.

À medida que você atravessa períodos de insatisfação e de estresse, momentos cinzentos em que você tem dificuldades para florescer, sua colheita de *Satisficência* baixa. Seu organismo inteiro sofre com essa redução, um estado de alerta se estabelece e desencadeia comportamentos encarregados de obter prazer de qualquer forma.

Aqueles que têm facilidade para compensar por meio da alimentação irão buscar esse prazer nos alimentos mais gratificantes, os mais ricos em sabor, gordura, açúcar e calóricos; eles engordarão. Outros se orientarão para vetores de prazer que não estão relacionados ao alimento, as alimentações não alimentares. Afetivas, físicas, estéticas, espirituais, todas essas fontes de prazer se mostram sob aparências bem diferentes, mas apresentam e transportam a mesma preciosa alimentação comum, a *Satisficência* – sem a qual o Pulsar e a vida se extinguem.

Mas então quais são esses outros alimentos não alimentares e esses comportamentos destinados a recolhê-los, satisfazendo nossas grandes necessidades enquanto espécie, as necessidades humanas?

Passei os últimos vinte anos identificando essas grandes necessidades naturais do homem, cuja satisfação conserva sua aptidão para viver. Ainda que universais e estruturantes da psique humana, elas se exprimem com dificuldade atualmente em culturas que tendem a ocultá-las. Foi o homem primitivo, o homem nu não contaminado por sua cultura, que iluminou essa busca. Você reconhecerá facilmente a sexualidade e amplamente o amor, o casal, o cuidado com as crianças, os pais... O prazer pode jorrar dessas necessidades quando não as concebemos no sentido contrário. Pense em todo o sofrimento que essas coisas e esses seres desencadeiam por conta de sua ausência. Você identificará esses comportamentos universais ligados à sociedade e ao grupo no qual tenta encontrar o seu próprio lugar, utilizando o carisma do dominante ou as competências e os dons inatos. Essas aptidões naturais e a autoridade não possuem mais a pertinência e a eficácia que podiam ter em um grupo primitivo, visto que as necessidades da caça, da colheita, do desempenho manual e a agressividade a serviço da defesa do grupo são hoje desqualificados no limitado contexto de trabalho e profissão.

Persegui essas necessidades naturais do homem com imenso prazer; consegui identificar dez delas, e apesar de insistentes esforços não cheguei a encontrar a décima primeira, então as reuni sob o título "10 pilares da felicidade". Elas serão o objeto de meu próximo livro.

Entre elas você verá uma imensa necessidade, que conhece muito bem – a necessidade de comer, se alimentar para sobreviver, certamente, mas talvez também para produzir uma sensação de prazer sob a qual transita sua contraparte de *Satisficência*.

Em nossas sociedades a maioria dessas grandes necessidades naturais se torna cada vez mais difícil de satisfazer. Elas cometem um erro ao serem gratuitas e concorrem com as falsas necessidades criadas com o propósito de consumir. Quando as grandes avenidas que levam ao prazer natural e à felicidade se fecham e a necessidade de *Satisficência* reclama o que lhe é devido, seus comportamentos de sobrevivência o lançam em direção ao prazer simples e imediato produzido pelos alimentos. E é assim que se instala e depois se desenvolve a maioria dos ganhos de peso.

Não esqueçamos que toda esta maquinaria complexa que comanda nossa sobrevivência está em nossos genes desde o momento em que nossa espécie – *Homo Sapiens Sapiens* – nasceu. Naquele tempo, o ambiente era outro, e o primeiro mandamento da sobrevivência era encontrar nesses grandes espaços gelados e hostis alimentos e energia suficientes somente para existir. Se você refletir sobre isso, constatará que a maior parte dos alimentos que você acha "bons" são quase sempre os mais ricos em calorias. Quanto mais um alimento é calórico, possui gordura e açúcar, mais nos seduz e nos atrai, até impor um esforço excessivo à nossa resistência.

É preciso saber, também, que essa programação inicial não passa de algo ínfimo desde o surgimento do primeiro homem. Os pequenos parisienses ou nova-iorquinos que nascem hoje em dia "saem da fábrica" com o mesmo motor que os recém-nascidos de Cro-Magnon. O meio ambiente, as culturas, as tradições, as religiões e os imperativos econômicos puderam se dedicar a moderar ao longo de milênios nossas pulsões biológicas, mas nada foi feito. A necessidade de sensações através da boca por meio daquilo que é rico em calorias permanece como um totem inextirpável, e acima de todas elas estão as sensações mágicas do doce.

Pesquisas científicas mostram que nossos genes se desenvolveram em um contexto de escassez no qual o único açúcar disponível era o das bagas ou dos frutos selvagens que os pássaros deixavam para trás. Os antropólogos estimam que nesses tempos remotos nosso consumo de açúcares devia ser de 2 quilos por ano e por pessoa. Em 1830, passamos para 5 quilos por ano. Em 2000, atingimos na França a soma inédita de 35 quilos por ano e, nos Estados Unidos, 70 quilos. Tudo está dito nestes números.

As receitas do prazer... sem as calorias

Se não é possível modificar nossos genes e nossas pulsões, felizmente existem atualmente novos meios de contornar este perigo, ferramentas recentes e ainda imperfeitas, mas que a pesquisa científica aprimora regularmente. Trata-se de ilusores, produtos que conseguem dissociar o que a natureza associou a nós: o prazer e as calorias. Você conhece os adoçantes, eles têm gosto de açúcar, mas não suas calorias. Pessoalmente, considero que os ilusores representam imenso progresso na luta contra o sobrepeso. Existem atualmente inúmeros ilusores alimentares, um grande número de produtos "light", com menos gordura ou sal. Mas os ilusores de segunda geração, substâncias com as quais mais trabalhei e às quais dedico mais interesse e futuro são os aromas. Eles ainda são conhecidos apenas por um público bastante restrito, que eu adoraria ver se expandir. Um aroma é um gosto e um odor que trazem a essência e a assinatura neurológica do alimento. Basta uma gota de aroma de baunilha em um flan para modificar o espetáculo que nosso cérebro constrói, para lhe conferir magia; uma gota de aroma de rum é o suficiente para fazer sonhar ao beber um simples suco de fruta; uma gota de aroma de roquefort apura um antiquado molho de iogurte para salada e uma gota de aroma de manteiga confere lubricidade e sensação de corpulência ao mais magro dos hambúrgueres. Fique atento aos aromas, eles ainda não entregaram todos os seus segredos nem esgotaram todos os seus recursos.

Neste pequeno livro proponho aos leitores uma centena de receitas que contêm parte desses ilusores, um arsenal destinado a propiciar prazer onde esperamos de antemão a restrição e a frustração. É raro invocar o nome "confeitaria" quando estamos de dieta, quando buscamos emagrecer. Eu corro o risco porque todos aqueles e aquelas que experimentaram estas receitas avançaram mais rapidamente e por mais tempo – é um bom sinal. Espero de todo coração que estas receitas (das quais experimentei a maior parte) o ajudem. Todas as receitas de sobremesas que você encontrará em meu livro são autorizadas em minha dieta. Entretanto, não esqueça que algumas delas são preparadas com farelo de trigo, amido de milho e cacau em pó, sem açúcar. Esses alimentos não são beneficiados com a menção À VONTADE, aplicável apenas aos 100 alimentos das duas fases propriamente emagrecedoras de minha dieta. Os farelos são limitados e os Tolerados são apenas Tolerados cujo uso é limitado, tanto em quantidade quanto em número de combinações. Não esqueça de consultar a lista e as informações de como utilizar esses alimentos (cf. p. 20).

Um outro elemento importante: há receitas preparadas com frutas. Como tais, elas só aparecem na terceira fase, de Consolidação, como você poderá constatar na seleção das receitas.

Outro ponto importante tange aos adoçantes. Minha posição é clara: sou obviamente a favor de sua utilização sem nenhuma hesitação. O argumento de que consumir adoçantes mantém o gosto pelo açúcar não procede, pois em minha longa experiência de nutricionista jamais encontrei um paciente, e menos ainda uma paciente, que tenha perdido sua atração por açúcar seguindo uma dieta sem açúcar ou adoçante, de modo que não há por que aumentar a frustração. Nas receitas você encontrará sugestões de adoçantes culinários em pó ou líquido, podendo, se desejar, escolher qual tipo de adoçante se adapta melhor à receita, tanto a nível do gosto como do cozimento.

Finalmente, seria grande covardia terminar esta introdução sem falar do chocolate. Para qualquer nutricionista envolvido na luta contra o sobrepeso, o chocolate é uma das primeiras traquinagens contra a qual aqueles e aquelas que engordam revelam não ter defesas. Se este é o seu caso, só existe uma solução para você: o CACAU, o princípio ativo específico do chocolate, o restante é apenas açúcar branco e manteiga de cacau. Você está autorizado a consumir esse cacau mencionado, em doses controladas, se ele for sem açúcar. Obtemos seu sabor na boca com apenas uma colher de café quando ele é puro e sem açúcar.

Saber apostar em si mesmo

Se você me entendeu bem até aqui e me seguiu em minhas peregrinações sobre a necessidade de prazer, de se sobressair e de felicidade, este livro lhe trará um presente que você não perceberá até abri-lo: a *Satisficência* e a energia vital necessária para conduzir um projeto tão difícil e antinatural que é emagrecer.

Já que falamos de "natureza" em geral e da nossa – a natureza humana – em particular, não se esqueça de que vivemos em um mundo inscrito em um modelo econômico em que 70% dos alimentos são produzidos atualmente pela indústria. Qualquer que seja a sua idade, você deve estar habituado(a) aos doces industriais, às coberturas artificiais, aos colorantes, aos adjuvantes, aos cremes e às gorduras adulteradas. Neste livro proponho a você "receitas caseiras com produtos naturais". Sei que não é uma condição do momento da nossa sociedade dedicar algum tempo a si mesmo, mas se você busca emagrecer é porque, de alguma forma, compreendeu que a condição do momento leva a muitas coisas, entre elas o seu sobrepeso, e que "colocando a mão na massa" você aposta em si mesmo. Se você tem filhos, eles ficarão agradavelmente surpresos, mas prometo que isso permitirá a você ensiná-los que existem outros doces além dos biscoitos industrializados e das guloseimas artificiais.

Para concluir esta introdução, me veio à mente que talvez eu tenha deixado alguns de meus leitores cansados, me aprofundando tanto em um livro dedicado às receitas de doces – um tema do qual gosto muito, assim como gosto da busca da felicidade e de decifrar as razões últimas da vida. Eu o fiz a fim de que a aspiração de cada um despertasse e, mesmo que você tenha penado, não se preocupe, voltemos juntos para o concreto e a sensorialidade das receitas. Estou certo de que a semente de hoje continuará a viver e a crescer em você, pois não há nada mais fundamental que saber como nós funcionamos. Seu peso e seu distúrbio são parte integrante dessa esfera de conhecimentos.

OS INGREDIENTES INDISPENSÁVEIS PARA A CONFEITARIA DUKAN E ONDE ENCONTRÁ-LOS?

• O farelo de aveia

O farelo de aveia é um dos princípios de minha dieta e de meu método, e, inevitavelmente, da *Confeitaria Dukan*. Além de sua ação medicinal, é o único alimento que conheço que pode servir-se de uma ação emagrecedora. Capaz de absorver até 22 vezes seu volume de água, ele incha no estômago e sacia rapidamente. No intestino ele se cola aos alimentos e os elimina nas fezes.

Mas, atenção! Nem todos os farelos vendidos no mercado são válidos. Para que um farelo não seja apenas para cozinhar e sim um farelo medicinal, sua fabricação deve respeitar estritamente o modo de moagem e o modo de separação do grão do farelo, ou seja, a moagem e a peneiração.

O farelo de aveia é vendido em supermercados e todas as lojas de produtos dietéticos. O farelo de aveia medicinal pode ser encontrado em algumas farmácias e lojas de produtos dietéticos. O farelo de aveia Dr. Dukan é encontrado na minha loja virtual www.lojadietadukan.com.br.

• O farelo de trigo

O farelo de trigo é um dos alimentos mais ricos em fibras insolúveis, utilizadas em larga escala para prevenir a constipação. Sua dureza e consistência podem dar densidade e consistência a algumas receitas.

O farelo de trigo pode ser encontrado em supermercados e em lojas de produtos naturais e dietéticos.

• Os adoçantes

Hoje em dia todos os adoçantes autorizados no mercado francês podem ser utilizados na culinária. Eles passaram por inúmeros estudos científicos visando determinar a total segurança para o consumo humano.

No Brasil, esses adoçantes ainda não são conhecidos e/ou encontrados, por isso foram readaptados aos adoçantes culinários comuns.

• O amido de milho

O amido de milho é a fécula do milho. Não é um alimento autorizado com a menção "à vontade" e sim "Tolerado" em doses de uma colher de sopa por dia. Eu lhe dei esse status porque é extremamente útil para dar liga a molhos, cozinhar alguns doces e fazer bolos leves. Ele não contém glúten.

• Cacau em pó sem açúcar

O cacau é o princípio ativo do chocolate, o restante é apenas gordura e açúcar. O cacau permite não abandonar o gosto do chocolate ao longo da dieta e cozinhar incríveis sobremesas leves.

Mas, atenção, é preciso utilizar o cacau em pó sem açúcar, que é também um alimento apenas Tolerado. Ele ainda não é vendido em grande distribuição, porém é possível encontrá-lo em grandes supermercados e em lojas de produtos naturais e dietéticos.

• Os aromas

Assim como o cacau, já os apresentei a você. Os aromas alimentares representam um conceito excepcional e têm grande futuro no campo da luta contra o sobrepeso. Trabalhei bastante na fisiologia desse fenômeno, que permite utilizar odores e sabores poderosos e originais sem as calorias aos quais estão habitualmente ligados. Os aromas abrem inúmeras possibilidades à minha dieta, dando a você a chance de associar a liberdade às quantidades e aos sabores. Infelizmente, eles são maldistribuídos e só os encontramos atualmente na internet.

• O ágar-ágar e a gelatina

Até o momento conhecemos principalmente a gelatina, produto proteinado que pode ser encontrado na forma de folhas ou em pó. Essencialmente de origem animal (bovina ou suína), suas folhas precisam ser hidratadas em água fria antes de serem utilizadas.

Uma vez amolecidas, as folhas devem ser retiradas da água e em seguida adicionadas a um líquido quente, mas não fervido, para serem diluídas antes de serem levadas à geladeira para adquirir a consistência gelatinosa.

Pode-se comprar gelatina principalmente em supermercados e hipermercados.

Mas também é possível utilizar o ágar-ágar, substância extraída das algas do mar colhidas longe das costas. Ele é ainda mais simples de preparar que a gelatina. Basta colocar 2 gramas de pó de ágar-ágar em meio litro de não importa qual líquido — leite, chá aromatizado, suco de soja, suco de fruta, infusão, caldo de carne ou de legumes —, esquentar até ferver e esperar que esfrie para preparar um flan ou uma gelatina. E quanto menos líquido colocamos, mais firme fica.

Pode-se encontrar o ágar-ágar em lojas de produtos dietéticos ou asiáticos.

• Quando comer os doces Dukan?

As menções Ataque, Cruzeiro, Consolidação e Estabilização nas receitas indicam as fases da Dieta Dukan nas quais você pode degustar os doces.

A divisão das receitas se apresenta da seguinte forma:

- Receitas para a fase de Ataque
- Receitas para a fase de Cruzeiro
- Receitas para a fase de Consolidação
- Receitas para a fase de Estabilização

Os alimentos do grupo dos Tolerados (ver página seguinte) não são autorizados na Fase de Ataque (Fase 1) e nas quintas-feiras de Consolidação e Estabilização (Fases 3 e 4).*

• Dosagem de aromas e adoçantes

De acordo com a marca utilizada, a força gustativa dos aromas pode variar. Não hesite em adaptar a dosagem. Da mesma forma, experimente as receitas no fim do preparo para verificar se o sabor doce está suficientemente intenso, de forma que você possa adaptar, se necessário, a medida de adoçante.

• Os Tolerados para os doces

Os Tolerados são ingredientes que permitem realçar a culinária no dia a dia.

Eles contêm um pouco mais de açúcar ou de gordura que os alimentos autorizados, mas seu consumo, limitado no máximo a 2 porções por dia, não representa um freio no processo de emagrecimento.

Atenção! Nós lembramos que eles são autorizados apenas a partir da Fase Cruzeiro e são proibidos na Fase de Ataque (Fase 1) e nas quintas-feiras de Proteínas Puras (Consolidação, Estabilização).

---

* Para aqueles que estão descobrindo o método Dukan agora, recomendamos a leitura do livro de referência do Dr. Pierre Dukan: *Eu não consigo emagrecer*. Rio de Janeiro: *BestSeller*, 2012. (N. do E.)

Iogurte de frutas 0% de gordura	1 pote
Iogurte natural de soja	1 pote
Amido de milho	1 colher de sopa ou 20 gramas
Farinha de soja	1 colher de sopa ou 20 gramas
Creme de leite com no máximo 3% de gordura	1 colher de sopa ou 20 gramas
Cacau em pó, sem açúcar	1 colher de café ou 7 gramas
Vinho para cozimentoo	3 colheres de sopa ou 30 gramas
Leite de soja	1 xícara ou 150 mililitros
Queijo com no máximo 7% de gordura	30 gramas
Óleo	algumas gotas espalhadas com papel-toalha
Goji	1 a 3 colheres de sopa de acordo com a fase

Panquecas e crepes

Panquecas doces de farelo de aveia

Para 4 pessoas
Tempo de preparo: 5 minutos | Tempo de cozimento: 10 minutos
Fase: Ataque

Ingredientes
8 colheres de sopa de farelo de aveia
4 colheres de sopa de farelo de trigo
8 colheres de sopa de requeijão 0% de gordura
2 colheres de sopa de adoçante culinário
   (ou a quantidade de sua preferência)
4 ovos

Modo de preparo
- Separe as claras e as gemas dos 4 ovos.
- Em uma tigela pequena, misture todos os ingredientes de base para obter uma massa homogênea (exceto as claras dos ovos).
- Bata as claras em neve e incorpore-as à massa.
- Despeje ¼ da mistura em uma frigideira aquecida em fogo médio e deixe cozinhar por cerca de 5 minutos. Vire a panqueca com a ajuda de uma espátula e deixe cozinhar por mais 5 minutos. Em seguida, prepare as 3 panquecas restantes.
- É possível também acrescentar uma colher de café de cacau em pó sem açúcar para fazer uma panqueca de chocolate, mas, neste caso, esta preparação só poderá ser consumida a partir da fase de cruzeiro, pois o cacau em pó sem açúcar é um alimento tolerado.

Crepe gelado de chocolate

Para 4 pessoas
Tempo de preparo: 20 minutos | Tempo de cozimento: 10 minutos
Tempo de congelamento: 1 hora
Fase: Cruzeiro

Ingredientes para a massa: 4 colheres de sopa de farelo de aveia; 12 colheres de sopa de leite desnatado; 2 ovos; 4 gemas; 3 colheres de sopa de água de flor de laranjeira (uso culinário)

Ingredientes para o creme: 12 colheres de sopa de leite desnatado; 2 colheres de sopa de amido de milho (alimento tolerado); 20 gotas de aroma de chocolate; 4 colheres de café de cacau em pó sem açúcar (alimento tolerado); 2 colheres de sopa cheias de adoçante culinário (ou a quantidade de sua preferência)

- **Modo de preparo para os crepes:** Em uma tigela, misture o farelo de aveia, o leite, os ovos e a água de flor de laranjeira. Jogue uma gota de óleo em um papel-toalha e com ele unte uma frigideira antiaderente. Espalhe a massa para cada crepe com bastante cuidado, de modo a formar uma camada fina. Cozinhe de 1 a 2 minutos. Em seguida, vire o crepe com uma espátula e deixe cozinhar o outro lado.
- **Modo de preparo para o creme de chocolate:** Dissolva o amido de milho em uma pequena quantidade de leite desnatado. Reserve. Aqueça o restante do leite com o aroma de chocolate e o cacau. Em outro recipiente, misture as 4 gemas com o adoçante e acrescente o amido de milho dissolvido. Despeje aos poucos o leite quente, mexendo com uma colher de pau. Coloque a mistura novamente na panela. Cozinhe o creme durante 3 minutos, mexendo sempre, e deixe esfriar.
- **Montagem:** Coloque cada crepe sobre uma folha de plástico filme. Espalhe o creme gelado sobre o crepe, enrole-o fechando o plástico filme nas duas extremidades para formar um rolo e leve por uma hora ao freezer ou ao congelador. Tire os rolos, retire o plástico filme e sirva.

Línguas de gato à Dukan

Para 4 pessoas
Tempo de preparo: 15 minutos | Tempo de cozimento: 20 minutos
Fase: Cruzeiro

Ingredientes

3 colheres de sopa de adoçante culinário (ou a quantidade de sua preferência)
4 colheres de sopa de amido de milho (alimento tolerado)
1 colher de café de fermento em pó químico
1 iogurte natural 0% de gordura
5 gotas de aroma de manteiga
10 gotas de aroma de baunilha
6 claras
1 pitada de sal

Modo de preparo

- Preaqueça o forno a 180 graus. Em uma tigela, misture o adoçante, o amido de milho, o fermento, o iogurte e os aromas de manteiga e baunilha.
- Em outro recipiente, bata as claras em ponto de neve firme e acrescente uma pitada de sal.
- Com um saco de confeiteiro, faça bastões de cerca de 8 centímetros sobre uma assadeira forrada com papel-manteiga. Leve ao forno a 180 graus de 15 a 20 minutos, sempre vigiando o cozimento.

Madeleines com flor de laranjeira

Para 4 pessoas
Tempo de preparo: 15 minutos | Tempo de cozimento: 15 a 20 minutos
Fase: Cruzeiro

Ingredientes

12 colheres de sopa de iogurte natural 0% de gordura
8 ovos
8 colheres de sopa de adoçante culinário (ou a quantidade de sua preferência)
12 colheres de farelo de aveia
8 colheres de sopa rasas de amido de milho (alimento tolerado)
2 colheres de chá de fermento químico
4 colheres de sopa de água de flor de laranjeira (uso culinário)

Modo de preparo

- Preaqueça o forno a 180 graus.
- Em uma tigela, misture os ovos e o adoçante para obter uma mistura branca e espumosa.
- Acrescente aos poucos o iogurte, o farelo de aveia, o amido de milho misturado ao fermento e a água de flor de laranjeira. Continue misturando para obter uma massa bem lisa.
- Deixe descansar de 30 minutos a 1 hora.
- Despeje a massa em uma fôrma para madeleines.
- Leve ao forno preaquecido a 180 graus, por 15 a 20 minutos, sempre vigiando o cozimento.
- Após retirar do forno, deixe as madeleines esfriarem ainda na fôrma. Em seguida, desenforme-as. As madeleines podem ser conservadas em um pote de metal por alguns dias.

Hora do chá

Cookies de chocolate

Para 4 pessoas
Tempo de preparo: 10 minutos | Tempo de cozimento: 20 minutos
Fase: Cruzeiro

Ingredientes

8 ovos
4 colheres de café de cacau em pó sem açúcar (alimento tolerado)
2 colheres de sopa de adoçante culinário (ou a gosto)
2 colheres de sopa de aroma de baunilha
8 colheres de sopa de farelo de aveia
4 colheres de sopa de farelo de trigo
1 pitada de sal

Modo de preparo

- Preaqueça o forno a 180 graus.
- Separe as gemas das claras dos 8 ovos.
- Em uma tigela, misture as 8 gemas, o adoçante, o cacau, o aroma de baunilha e os farelos.
- Em outro recipiente, bata as claras em ponto de neve bem firme. Adicione uma pitada de sal e incorpore as claras em neve à mistura anterior.
- Despeje a massa em uma assadeira, fazendo montinhos pequenos e redondos.
- Leve ao forno preaquecido a 180 graus, por 15 a 20 minutos. Monitore o cozimento.

Pão de mel

Rendimento: 2 porções
Tempo de preparo: 20 minutos | Tempo de cozimento: 15 minutos
Fase: Cruzeiro

Ingredientes para o pão
3 colheres de sopa de farelo de aveia e trigo
1 colher de sopa de adoçante culinário
1 colher de chá de fermento em pó biológico
1 colher de chá de cacau em pó sem açúcar
1 ovo inteiro
3 colheres de sopa de leite desnatado
Canela e cravo
2 gotas de aroma de mel

Ingredientes para a cobertura e recheio
2 colheres de chá de cacau em pó sem açúcar
3 colheres de chá de adoçante em pó
3 colheres de sopa de leite em pó desnatado
3 colheres de chá de iogurte 0% de gordura

Modo de preparo

- **Para o pão**: Misture bem todos os ingredientes e por último adicione o fermento. Divida em duas porções e coloque-as em duas xícaras de chá ou em duas forminhas de silicone. Em seguida, leve ao forno preaquecido a 180–210 graus por aproximadamente 15 minutos, monitorando o cozimento. Retire do forno, deixe resfriar e reserve.
- **Para o recheio**: Misture muito bem todos os ingredientes até formar uma massa homogênea e reserve.
- Corte o pão ao meio, recheio-o e finalize cobrindo-o com a mesma massa do recheio.

Receita elaborada por Sandra Peres.
Produzida por Mary Nigri - Quattrino restaurante

Muffins

Para 6 pessoas
Tempo de preparo: 10 minutos | Tempo de cozimento: 30 minutos
Fase: Ataque

Ingredientes

4 ovos
12 colheres de sopa de farelo de aveia
4 colheres de sopa de iogurte natural 0% de gordura
1 colher de sopa de adoçante líquido
1 colher de chá de fermento em pó químico

Sabores para escolher 1 deles: raspas de limão (apenas nos dias PL), 1 colher de café de canela em pó, 1 colher de sopa de café, 2 colheres de café de cacau em pó sem açúcar (alimento tolerado somente a partir da fase de cruzeiro), 1 colher de sopa de aroma de laranja etc.

Modo de preparo

- Preaqueça o forno a 180 graus.
- Separe as gemas das claras dos 4 ovos.
- Bata as claras em neve.
- Misture os outros ingredientes: as gemas, o farelo de aveia, o iogurte, o fermento e o adoçante. Em seguida, incorpore as claras em neve à mistura. Adicione os ingredientes do sabor escolhido.
- Despeje a massa em uma fôrma de silicone para muffins. Leve ao forno preaquecido a 180 graus, por 20 a 30 minutos, monitorando atentamente o cozimento.

Muffins de abóbora

Para 6 pessoas
Tempo de preparo: 30 minutos | Tempo de cozimento: 40 minutos
Fase: Cruzeiro

Ingredientes

9 colheres de sopa de farelo de aveia
1 colher de chá de fermento em pó químico
200 gramas de abóbora
noz-moscada a gosto
3 colheres de sopa de leite desnatado em pó
6 colheres de sopa rasas de adoçante culinário
1 boa pitada de canela em pó
4 colheres de sopa de iogurte natural 0% de gordura
4 ovos
2 colheres de café de aroma de rum

Modo de preparo

- Retire a grelha do forno e preaqueça a 240 graus.
- Em uma tigela, misture o farelo, o fermento, o adoçante, o leite desnatado em pó, a canela, a abóbora e a noz-moscada já ralada. Mexa e depois adicione o iogurte, os ovos e o aroma de rum. Misture bem.
- Despeje a massa em fôrmas de silicone para muffins. Ajuste a grelha na altura da metade do forno e coloque as fôrmas. Deixe assar de 30 a 40 minutos a 180 graus, sempre monitorando o cozimento. Deixe esfriar bem antes de desenformar.

Hora do chá

Biscoitos amanteigados de farelo de aveia

Para 4 pessoas
Tempo de preparo: 10 minutos | Tempo de cozimento: 15 minutos
Fase: Ataque

Ingredientes

8 ovos
1 colher de café de adoçante culinário (não líquido)
8 colheres de sopa de farelo de aveia
8 colheres de sopa de iogurte 0% de gordura
1 colher de sopa de aroma de baunilha
10 gotas de aroma de manteiga

Modo de preparo

- Separe as claras das gemas dos 8 ovos.
- Misture as gemas, o aroma de baunilha, o aroma de manteiga, o adoçante culinário, o iogurte e o farelo de aveia.
- Bata as claras em neve e incorpore-as aos poucos à mistura.
- Despeje a massa em uma fôrma de silicone para macarons.
- Leve ao forno por 15 minutos a 150 graus, vigiando o cozimento.

Biscoito rápido

Tempo de preparo: 20 minutos | Tempo de cozimento: 15 minutos
Fase: Ataque

Ingredientes

1 ovo
1 colher de sopa de farelo de aveia
1 colher de sopa de farelo de trigo
1 colher de sopa de leite em pó
2 colheres de chá de adoçante
3 colheres de sopa de leite desnatado
10 gotas de aroma sabor baunilha
1 colher de chá de fermento em pó biológico

Modo de preparo

- Em um recipiente, misture todos os ingredientes, com exceção do fermento. misture bem até formar uma massa homogênea. Por último, acrescente o fermento e misture mais um pouco. Leve ao forno preaquecido a 180–210 graus, por aproximadamente 15 minutos, monitorando o cozimento.

Hora do chá

Biscoitos caseiros tipo champagne

Rendimento: 15 biscoitos
Tempo de preparo: 20 minutos | Tempo de cozimento: aprox. 20 minutos
Fase: Ataque

Ingredientes
3 ovos
3 colheres de sopa de adoçante culinário
5 colheres de sopa de amido de milho
5 colheres de sopa de farelo de aveia

Modo de preparo
Bata as claras em ponto de neve firme e adicione as gemas, uma por uma. Em seguida, acrescente o adoçante, o amido de milho e o farelo de aveia. Despeje e espalhe a massa em fôrma retangular de silicone ou antiaderente e leve ao forno preaquecido a 180-210 graus (dependendo do forno) e asse até começar a dourar. Retire do forno e deixe esfriar. Quando a massa estiver fria, corte em bastões, no formato de biscoitos tipo champagne.

Receita elaborada por Geovana Centeno (JôGaucha)
Produzida por Mary Nigri - Quattrino restaurante

Merengues moca

Para cerca de 12 merengues
Tempo de preparo: 10 minutos | Tempo de cozimento: 15 minutos
Fase: Cruzeiro

Ingredientes

3 claras
1 pitada de sal
6 colheres de sopa de adoçante culinário
2 colheres de café de cacau em pó sem açúcar (alimento tolerado)
2 colheres de sopa de café bem forte (já pronto)

Modo de preparo

- Bata as claras em ponto de neve bem firme, adicionando uma pitada de sal.
- Salpique o adoçante em pó misturado ao cacau e, em seguida, adicione o café. Continue mexendo por 30 segundos.
- Em uma assadeira, despeje a massa em pequenos montinhos do mesmo tamanho.
- Leve ao forno preaquecido a 150 graus, por 15 a 20 minutos, vigiando o cozimento.

Hora do chá

Suspiros

Rendimento: 5 porções
Tempo de preparo: 20 minutos | Tempo de cozimento: aprox. 40 minutos
Fase: Ataque

Ingredientes

5 claras em ponto de neve
1 colher de chá de cremor de tártaro*
5 colheres de sopa rasa de adoçante culinário
Algumas gotas de limão

Modo de preparo

- Com o cremor de tártaro, bata as claras em ponto de neve até ficar firme. Adicione aos poucos o adoçante e por último as gotas de limão.
- Com a ajuda de um saco para confeitar, faça gotas em uma forma forrada com papel-manteiga. Leve ao forno preaquecido a 180-210 graus (dependendo do forno) e mantenha a porta entreaberta durante o cozimento por aproximadamente 40 minutos ou até os doces secarem.
- Pode ser consumido desta forma ou ser utilizado em cobertura de tortas ou recheio de sobremesas.

* O cremor de tártaro é utilizado como controlador da cristalização do açúcar, ou seja, ajuda a manter a superfície dos doces mais seca (sem melar). É muito utilizado em suspiros e pode ser encontrado em casas especializadas em confeitaria.

Receita elaborada por Sandra Peres
Produzida por Mary Nigri - Quattrino restaurante

Bolinhos de coco

Para 4 pessoas
Tempo de preparo: 10 minutos | Tempo de cozimento: 15 minutos
Fase: Ataque

Ingredientes

8 colheres de sopa de farelo de aveia
4 colheres de sopa de farelo de trigo
2 colheres de café de adoçante culinário
30 gotas de aroma de coco
8 ovos
1 pitada de sal

Modo de preparo

- Separe as claras das gemas dos 8 ovos.
- Misture os farelos, o aroma, o adoçante e as gemas.
- Bata as claras em neve, adicionando uma pitada de sal.
- Acrescente aos poucos as claras em neve à mistura, de forma a obter uma consistência bem compacta.
- Faça 4 montes com a massa e leve ao forno preaquecido por 15 minutos a 210 graus, vigiando o cozimento.

Hora do chá

Macarons de avelã

Para 4 pessoas
Tempo de preparo: 5 minutos | Tempo de cozimento: 15 minutos
Fase: Ataque

Ingredientes
4 claras
1 pitada da sal
4 colheres de sopa de adoçante culinário
8 colheres de sopa de farelo de aveia
1 colher de café de aroma de avelã

Modo de preparo

- Preaqueça o forno a 180 graus.
- Em uma tigela, quebre os ovos e separe as claras das gemas. Bata as claras em ponto de neve bem firme, adicionando uma pitada de sal.
- Em outro recipiente, misture o aroma de avelã, o adoçante e o farelo de aveia. Incorpore delicadamente as claras em neve à mistura. Encha um saco de confeiteiro e faça pequenos montes bem redondos e do mesmo tamanho em uma assadeira forrada com papel-manteiga.
- Salpique farelo de aveia sobre os macarons antes de levá-los ao forno. Asse por 15 minutos a 180 graus, vigiando o cozimento.

Hora do chá

Biscoitos Amaretti

Para 4 pessoas
Tempo de preparo: 15 minutos | Tempo de cozimento: 20 minutos
Fase: Ataque

Ingredientes

1 clara
1 pitada de sal
8 colheres de sopa de farelo de aveia
6 colheres de sopa de adoçante culinário
2 colheres de café de aroma de amêndoa

Modo de preparo

- Preaqueça o forno a 200 graus.
- Bata a clara em ponto de neve bem firme e adicione uma pitada de sal. Continue a mexer e acrescente 6 colheres de sopa de adoçante em pó até formar uma espécie de massa para merengue encorpada e colante.
- Adicione as 8 colheres de sopa de farelo de aveia à clara em neve e misture.
- Incorpore em seguida o aroma de amêndoa e mexa bem.
- Utilize 2 colheres de sopa para moldar 8 pequenas bolas de cerca de 3 centímetros de diâmetro e coloque-as em uma assadeira forrada com papel-manteiga.
- Leve ao forno por 20 minutos a 200 graus, vigiando para que os biscoitos fiquem crocantes por fora e macios por dentro. Deixe esfriar.

Suflê de laranja

Para 4 pessoas
Tempo de preparo: 10 minutos | Tempo de cozimento: 30 minutos
Fase: Cruzeiro

Ingredientes

8 colheres de sopa de iogurte natural 0% de gordura
2 ovos
3 colheres de sopa de adoçante culinário
6 colheres de sopa rasas de amido de milho (alimento tolerado)
1 colher de chá de fermento em pó químico
1 colher de sopa de água de flor de laranjeira (uso culinário)
Raspas da casca de uma laranja
4 colheres de sopa de leite desnatado em pó

Modo de preparo

- Misture todos os ingredientes, mexendo bem para obter uma massa bem lisa.
- Despeje a massa em uma fôrma para bolo.
- Leve ao forno preaquecido a 180 graus por 30 minutos, vigiando o cozimento.

Pão de ló

Para 2 pessoas
Tempo de preparo: 10 minutos | Tempo de cozimento: 20 minutos
Fase: Cruzeiro

Ingredientes

4 ovos
4 colheres de sopa de adoçante culinário
Raspas da casca de 1 limão
40 gramas de amido de milho (alimento tolerado)

Modo de preparo

- Preaqueça o forno a 180 graus.
- Separe as claras das gemas dos 4 ovos.
- Bata as claras em neve.
- Misture as gemas e o adoçante, depois adicione as raspas de limão e o amido de milho. Incorpore as claras em neve delicadamente.
- Despeje a massa em uma assadeira forrada com papel-manteiga e leve ao forno por 20 minutos a 180 graus até que o bolo esteja dourado. Vigie o cozimento.

Bolos & pães

Brioche de dois farelos com água de flor de laranjeira

Para 2 pessoas
Tempo de preparo: 15 minutos | Tempo de cozimento: 10 a 15 minutos
Fase: Cruzeiro

Ingredientes
4 colheres de sopa de amido de milho (alimento tolerado)
4 colheres de sopa de farelo de aveia
2 colheres de sopa de farelo de trigo
2 colheres de chá de fermento em pó químico
4 ovos
4 colheres de sopa de adoçante culinário
8 colheres de sopa de iogurte natural 0% de gordura
10 gotas de aroma de manteiga
1 colher de sopa de água de flor de laranjeira (uso culinário)

Modo de preparo
- Preaqueça o forno a 180 graus.
- Com um mixer, processe os farelos de aveia e de trigo em grãos bem finos.
- Misture o amido de milho, os farelos de aveia e de trigo e o fermento. Adicione os ovos, o adoçante, o iogurte, o aroma de manteiga e a água de flor de laranjeira. Mexa bem.
- Despeje a massa em fôrmas de silicone para brioche e leve ao forno preaquecido a 180 graus, por 10 a 15 minutos, vigiando o cozimento. Deixe esfriar dentro do forno.

Broa de erva-doce

Rendimento: 12 fatias
Tempo de preparo: 20 minutos | Tempo de cozimento: 30 minutos
Fase: Ataque

Ingredientes
3 ovos
1 pote de requeijão 0% de gordura
2 colheres de sopa de proteína isolada de soja
4 colheres de sopa de farelo de aveia
4 colheres de sopa de leite em pó desnatado
20 gotas de aroma de panetone
1 colher de sopa de erva-doce desidratada
3 colheres de sopa de adoçante em pó
1 colher de sopa de fermento em pó

Modo de preparo
- Em uma vasilha, bata os ovos com o requeijão e o aroma de panetone.
- Acrescente a proteína isolada de soja, o farelo de aveia e o leite em pó.
- Mexa até obter uma mistura homogênea. Adicione a erva-doce, o adoçante e misture novamente.
- Por último, adicione o fermento e leve ao forno preaquecido a 180-210 graus por aproximadamente 30 minutos, monitorando o cozimento.

Receita elaborada por Geovana Centeno (JôGaucha)
Produzida por Mary Nigri - Quattrino restaurante

Bolos & pães

Pão de especiarias

Para 4 pessoas
Tempo de preparo: 10 minutos | Tempo de cozimento: 45 minutos
Fase: Ataque

Ingredientes
8 colheres de sopa de farelo de aveia
4 colheres de sopa de farelo de trigo
3 colheres de sopa de leite desnatado em pó
6 colheres de sopa de requeijão 0% de gordura
3 ovos
3 claras
2 colheres de chá de fermento em pó químico
1 ½ colher de adoçante culinário
2 colheres de sopa de especiarias a gosto (canela, anis, noz-moscada, gengibre, cravo)

Modo de preparo
- Preaqueça o forno a 180 graus.
- Em uma tigela, misture os farelos, o leite em pó e o fermento. Adicione o requeijão, mexendo bem. Em seguida, acrescente os ovos e as 3 claras. Misture até obter uma massa homogênea. Acrescente as especiarias e o adoçante. Despeje a massa em uma fôrma antiaderente.
- Leve ao forno preaquecido a 180 graus, por 45 minutos. Verifique o cozimento perfurando o bolo com um palito: ele deve sair seco.

Bolo de iogurte

Para 2 pessoas
Tempo de preparo: 15 minutos | Tempo de cozimento: 35 minutos
Fase: Ataque

Ingredientes
4 colheres de sopa de farelo de aveia
5 ovos
1 iogurte natural 0% de gordura
6 colheres de sopa de leite desnatado em pó
2 colheres de sopa de adoçante culinário
2 colheres de café de fermento em pó químico
Aroma (avelã, baunilha, laranja ou outro de sua preferência)

Modo de preparo

- Preaqueça o forno a 200 graus.
- Com um mixer, processe os farelos em grãos bem finos. Em seguida, misture todos os ingredientes.
- Despeje a massa em uma fôrma para bolo e leve ao forno preaquecido a 180 graus, por 35 minutos.

Cake de cenoura ou bolo de cenoura à francesa

Para 2 pessoas
Tempo de preparo: 25 minutos | Tempo de cozimento: 45 minutos
Fase: Cruzeiro

Ingredientes

250 gramas de cenoura
4 colheres de sopa de farelo de aveia
3 ovos
2 colheres de café de adoçante líquido
1 colher de café de canela em pó
1 colher de café de fermento químico
1 colher de café de aroma de rum
Raspas da casca de 1 limão

Modo de preparo

- Preaqueça o forno a 180 graus.
- Separe as claras das gemas dos 3 ovos.
- Em uma tigela, misture as gemas e o adoçante.
- Adicione a canela, o aroma de rum, o farelo de aveia e o fermento. Em seguida, acrescente as cenouras raladas bem fininhas e as raspas da casca do limão.
- Bata as claras em ponto de neve bem firme e incorpore-as à massa, misturando delicadamente. É preciso obter uma mistura bem líquida.
- Despeje a massa em uma fôrma para bolo bem grande. Leve ao forno preaquecido a 180 graus, por 45 minutos, vigiando constantemente o cozimento.

Bolos & pães

Excelentíssimo

Para 2 pessoas
Tempo de preparo: 10 minutos | Tempo de cozimento: 30 minutos
Fase: Cruzeiro

Ingredientes
6 colheres de sopa de farelo de aveia
5 ovos
3 colheres de sopa de requeijão natural 0% de gordura
6 colheres de sopa de leite desnatado em pó
2 colheres de sopa de adoçante culinário (ou a gosto)
2 colheres de chá de fermento químico
4 colheres de café de cacau em pó sem açúcar (alimento tolerado)
10 gotas de aroma de amêndoa
10 gotas de aroma de avelã

Modo de preparo
- Preaqueça o forno a 210 graus.
- Misture bem todos os ingredientes.
- Despeje a massa em uma fôrma para bolo e leve ao forno preaquecido a 200 graus, por cerca de 30 minutos.

Bolos & pães

Bolo mármore de chocolate e baunilha sem farelo de aveia

Para 2 pessoas
Tempo de preparo: 10 minutos | Tempo de cozimento: 45 minutos
Fase: Cruzeiro

Ingredientes
6 ovos
6 colheres de sopa de adoçante culinário
20 gotas de aroma de manteiga
10 colheres de sopa de requeijão 0% de gordura
2 colheres de sopa de amido de milho (alimento tolerado)
2 colheres de café de fermento em pó químico
1 colher de sopa rasa de proteína isolada de soja
20 gotas de aroma de baunilha
2 colheres de café de cacau em pó sem açúcar (alimento tolerado)
1 pitada de sal

Modo de preparo
- Preaqueça o forno a 180 graus.
- Em uma tigela, separe as gemas das claras.
- Misture as gemas com o adoçante, o aroma de manteiga e o requeijão.
- Acrescente o amido de milho, o fermento e a proteína em pó isolada.
- Em outro recipiente, bata as claras em ponto de neve bem firme, adicionando uma pitada de sal. Em seguida, incorpore-as delicadamente à mistura.
- Separe a massa em duas vasilhas. Na primeira, acrescente o cacau em pó sem açúcar e, na outra, o aroma de baunilha.
- Despeje as massas em uma fôrma de silicone, alternando-as para obter o efeito de mármore.
- Leve ao forno preaquecido a 180 graus, por 45 minutos, vigiando o cozimento.

Bolo de café com cacau

Rendimento: 10 fatias
Tempo de preparo: 20 minutos | Tempo de cozimento: 25 minutos
Fase: Cruzeiro

Ingredientes

3 ovos
6 colheres de sopa de farelo de aveia
5 colheres de sopa de leite em pó desnatado
30ml de leite desnatado (líquido)
1 colher de sopa de amido de milho
1 colher de sopa de café instantâneo
25 gotas de aroma de caramelo
2 colheres de chá de cacau em pó sem açúcar
4 colheres de sopa de adoçante em pó (ou a gosto)
1 colher de sopa de fermento em pó

Modo de preparo

- Bata os ovos com a essência por 3 minutos.
- Adicione os outros ingredientes (caso a massa esteja seca, acrescente um pouco mais de leite) e por último o fermento.
- Assar em forno preaquecido a 180-210 graus (dependendo do forno) por aproximadamente 25 minutos, monitorando o cozimento.

Receita elaborada por Geovana Centeno (JôGaucha)
Produzida por Mary Nigri - Quattrino restaurante

Bolo de cenoura

Rendimento: 10 fatias
Tempo de preparo: 15 minutos | Tempo de cozimento: 20 minutos
Fase: Cruzeiro

Ingredientes para a massa
4 colheres de sopa de farelo de aveia
1 cenoura média ralada
4 colheres de sopa de leite em pó desnatado
20 gotas de aroma de laranja (ou a gosto)
3 colheres de sopa de adoçante culinário
1 colher de sopa de fermento em pó

Ingredientes para a cobertura
100ml de leite (líquido) desnatado
1 a 1 ½ colher de sopa de cacau em pó sem açúcar
1 colher de sopa de amido de milho
1 colher de sobremesa de adoçante (ou a gosto)

Modo de preparo da massa
- No liquidificador, bata bem os ovos com a cenoura ralada e o aroma de laranja, até ficar bem homogêneo. Em seguida, acrescente o farelo de aveia, o leite em pó desnatado e o adoçante. Por último, acrescente o fermento. Coloque a massa em uma fôrma de silicone ou antiaderente e leve ao forno a 210 graus por aproximadamente 20 minutos.

Modo de preparo da cobertura
- Em uma panela, aqueça o leite. Em seguida, acrescente o cacau em pó, o adoçante e mexa bem. Antes de a mistura começar a ferver, acrescente o amido de milho e mexa rapidamente, por 2 minutos, ou até obter uma calda cremosa. Jogue-a por cima da massa do bolo assada.

Receita elaborada por Geovana Centeno (JôGaucha)
Produzida por Mary Nigri - Quattrino restaurante

Bolos & pães

Bolo de chocolate

Rendimento: 4 pessoas
Tempo de preparo: 45 minutos | Tempo de cozimento: 20 minutos
Fase: Cruzeiro

Ingredientes

2 ovos
2 colheres de sopa de adoçante
1 pote de iogurte 0% de gordura
1 colher de chá de aroma de baunilha
4 colheres de sopa de leite em pó desnatado
6 colheres de sopa de farelo de aveia
1 colher de sopa de farelo de trigo
1 pacote de pudim em pó sem açúcar sabor chocolate
1 colher de sopa de fermento em pó

Modo de preparo

- Bata bem os ovos, sem a película da gema, até ficar bem cremoso.
- Adicione o aroma, o iogurte e o adoçante. Bata novamente.
- Acrescente os outros ingredientes secos e bata-os de novo.
- Por último, acrescente o fermento.
- Leve ao forno preaquecido a 180–210 graus (dependendo do forno) por aproximadamente 20 minutos.

Receita elaborada por Sandra Peres
Produzida por Mary Nigri - Quattrino restaurante

Bolos & pães

Bolo de laranja

Rendimento: 4 pessoas
Tempo de preparo: 30 minutos | Tempo de cozimento: 20 minutos
Fase: Cruzeiro

Ingredientes

4 colheres de sopa de leite desnatado (líquido)
6 colheres de sopa de leite em pó desnatado
2 ovos
1 colher de sopa de adoçante culinário
1 colher de chá de fermento em pó químico
1 pacote de suco de laranja em pó sem açúcar

Modo de preparo

- Misture os ingredientes em uma tigela e acrescente um pouco mais de leite se necessário. A consistência é a mesma de um bolo comum.
- Coloque para assar em uma assadeira antiaderente ou em uma fôrma de silicone.
- Leve ao forno a 180–210 graus (dependendo do forno) por aproximadamente 20 minutos.

Receita elaborada por Sandra Peres
Produzida por Mary Nigri - Quattrino restaurante

Bolo de tapioca

Rendimento: 10 pessoas
Tempo de preparo: 20 minutos | Tempo de cozimento: 30 minutos
Fase: Consolidação

Ingredientes

3 ovos inteiros
1 xícara de chá de farinha de tapioca
200ml de leite desnatado
1 colher de sopa de fermento em pó
3 colheres de sopa de adoçante culinário
aroma de baunilha a gosto

Modo de preparo

- Coloque a farinha de tapioca em uma tigela e despeje o leite. Espere por uns 20 minutos até a tapioca virar uma goma.
- Escorra o leite que sobrar (o leite é usado somente para a tapioca virar uma goma). Quando puxar a goma com uma colher, perceberá que se transformou quase em uma farinha/maisena.
- Misture o leite em pó, o adoçante e mexa bem. Acrescente os ovos já batidos e bata tudo até a mistura se dissolver bem.
- Por último, acrescente o aroma e o fermento. Coloque em uma assadeira e leve ao forno preaquecido a 180–210 graus (dependendo do forno) por aproximadamente 30 minutos, monitorando o cozimento.

Receita elaborada por Geovana Centeno (JôGaucha)
Produzida por Mary Nigri- Quattrino restaurante

Bolos & pães

Bolo de limão

Rendimento: 11 fatias
Tempo de preparo: 15 minutos | Tempo de cozimento: 20 minutos
Fase: Cruzeiro

Ingredientes

3 ovos
6 colheres de sopa de farelo de aveia
2 colheres de sopa de farelo de trigo
6 colheres de sopa de leite em pó desnatado
2 colheres de sopa de suco de limão em pó sem açúcar
2 colheres de sopa de adoçante em pó
100g de iogurte desnatado 0% de gordura
20 gotas de aroma de limão
1 colher de sopa de amido de milho
1 colher de sopa de fermento em pó

Modo de preparo

- Bata no liquidificador os ovos com a aroma de limão por 3 minutos.
- Acrescente os farelos, o iogurte, o leite em pó, o adoçante, o suco em pó sem açúcar e o amido de milho. Por último, acrescente o fermento.
- Coloque em uma fôrma pequena e leve ao forno a 180-210 graus (dependo do forno) por aproximadamente 20 minutos, monitorando o cozimento.

Receita elaborada por Geovana Centeno (JôGaucha)
Produzida por Mary Nigri - Quattrino restaurante

Bolo de milho e coco

Rendimento: 14 fatias
Tempo de preparo: 20 minutos | Tempo de cozimento: 35 minutos
Fase: Consolidação

Ingredientes

3 ovos
8 colheres de sopa de farelo de aveia
½ xícara de farinha de milho
25g de coco fresco ralado
200ml de leite desnatado
3 colheres de sopa de adoçante em pó
20 gotas de aroma sabor de milho e coco (ou a gosto)
1 colher de sopa de fermento em pó

Modo de preparo

- Bata no liquidificador os ovos e adicione o farelo de aveia, a farinha de milho e o leite desnatado.
- Bata mais uma vez e acrescente o adoçante, o coco ralado e as aromas (coco e milho).
- Por último, adicione o fermento e leve ao forno preaquecido a 210 graus, por aproximadamente 30 minutos, monitorando o cozimento.

Receita elaborada por Geovana Centeno (JôGaucha)
Produzida por Mary Nigri - Quattrino restaurante

Bolo de morango

Rendimento: 10 fatias
Tempo de preparo: 15 minutos | Tempo de cozimento: 25 minutos
Fase: Ataque

Ingredientes

3 ovos
6 colheres de sopa de farelo de aveia
2 colheres de sopa de farelo de trigo
2 colheres de sopa de adoçante culinário
1 pacote de gelatina Zero sabor morango
1 iogurte desnatado 0% de gordura
15 gotas de aroma de morango
4 colheres de sopa de leite em pó
1 colher de sopa de fermento em pó

Modo de preparo

- Bata no liquidificador os ovos, os farelos, o adoçante, o aroma, o iogurte, a gelatina Zero e, por último, o fermento.
- Coloque a massa em uma assadeira antiaderente ou em uma fôrma de silicone e leve ao forno preaquecido a 180-210 graus (dependendo do forno) por 25 minutos, monitorando o cozimento.

Receita elaborada por Geovana Centeno (JôGaucha)
Produzida por Mary Nigri - Quattrino restaurante

Bolos & pães

Bolo de banana

Rendimento: 8 fatias
Tempo de preparo: 20 minutos | Tempo de cozimento: 25 minutos
Fase: Cruzeiro

Ingredientes

3 colheres de sopa de farelo de aveia
1 colher de sopa de amido de milho
1 iogurte natural desnatado 0% de gordura
1 colher de sopa de leite em pó desnatado
2 ovos
1 iogurte natural 0% de gordura
1 colher de sopa de fermento em pó químico
20 gotas de aroma de banana (ou a gosto)
2 colheres de sopa de adoçante em pó culinário

Modo de preparo

- Misture os ingredientes um a um.
- Por último, coloque o fermento e bata com o auxílio de um garfo.
- Despeje a massa em fôrma de silicone ou antiaderente e leve ao forno preaquecido a 180–210 graus, por aproximadamente 25 minutos, monitorando cozimento.

Receita elaborada por Geovana Centeno (JôGaucha)
Produzida por Mary Nigri – Quattrino restaurante

Bolos & pães

Bolinho de requeijão com coco

Rendimento: de 4 a 6 bolinhos
Tempo de preparo: 20 minutos | Tempo de cozimento: 35 minutos
Fase: Consolidação

Ingredientes

250g de requeijão 0% de gordura
4 colheres de sopa de adoçante em pó culinário
15 gotas de aroma de coco
2 ovos
25g de coco ralado sem açúcar
1 colher de sopa de fermento em pó químico

Modo de Preparo

- Bata muito bem os ovos, acrescente o aroma, bata um pouco mais e reserve.
- Misture o requeijão com o adoçante e o coco.
- Em seguida, jogue os ovos batidos à mistura do requeijão com o adoçante e o coco.
- Por último, acrescente o fermento e leve ao forno preaquecido a 180 graus - 210 graus, por aproximadamente 35 minutos.

Receita elaborada por Geovana Centeno (JôGaúcha)

Bolinho rápido de caneca

Rendimento: 1 porção
Tempo de preparo: 10 minutos | Tempo de cozimento: 3 minutos
Fase: Ataque

Ingredientes

1 ovo
1 colher de sopa de farelo de aveia
1 colher de sopa de farelo de trigo
1 colher de sopa de leite em pó desnatado
2 colheres de chá de adoçante culinário
3 colheres de leite desnatado (líquido)
10 gotas de aroma de baunilha
1 colher de chá de fermento em pó químico

Modo de fazer

- Em uma xícara de 300ml, bata um ovo com aroma. Adicione os farelos de aveia e de trigo, o leite em pó, e bata novamente.
- Acrescente o leite desnatado, o adoçante e misture tudo à mão até formar uma massa homogênea.
- Por último, adicione o fermento, misture-o à mão e leve ao microondas por até 3 minutos.

Receita elaborada por Geovana Centeno (JôGaúcha)

Torta de baunilha

Para 4 pessoas
Tempo de preparo: 10 minutos | Tempo de cozimento: 40 minutos
Fase: Ataque

Ingredientes

6 colheres de sopa de farelo de aveia
6 colheres de sopa de requeijão 0% de gordura
6 ovos
1 iogurte natural 0% de gordura
1 colher de sopa de aroma de baunilha
2 colheres de sopa de água de flor de laranjeira
2 colheres de café de adoçante culinário

Modo de preparo

- Preaqueça o forno a 210 graus.
- Em uma tigela grande, misture bem todos os ingredientes. Despeje a massa em uma fôrma de silicone para bolo.
- Leve ao forno preaquecido a 210 graus, por 40 minutos, vigiando o cozimento.

Bolo de queijo

Para 4 pessoas
Tempo de preparo: 10 minutos | Tempo de cozimento: 30 minutos
Fase: Cruzeiro

Ingredientes

125g de iogurte natural 0% de gordura
2 colheres de sopa de amido de milho (alimento tolerado)
1 colher de chá de fermento químico
Raspas da casca de 1 limão
2 colheres de café de adoçante culinário
2 gemas
4 claras
1 pitada de sal

Modo de preparo

- Misture todos os ingredientes, exceto as claras.
- Em uma tigela, bata as claras em ponto de neve bem firme e adicione uma pitada de sal.
- Incorpore aos poucos as claras em neve à mistura.
- Despeje a massa em uma fôrma e leve ao forno preaquecido a 200 graus por 30 minutos.
- Leve por algumas horas à geladeira, de modo a degustá-lo geladinho.

Cheesecake

Rendimento: 4 porções
Tempo de preparo: 30 minutos | Tempo de cozimento: 30 minutos
Fase: Consolidação
A base da torta pode ser feita com biscoitos Dukan

Ingredientes para a massa
6 colheres de sopa de farelo de aveia
2 colheres de sopa de amido de milho
1 ovo
½ colher de chá de fermento em pó químico
1 colher de sopa de adoçante culinário
Canela em pó a gosto
3 colheres de sopa de leite desnatado

Ingredientes para o creme
2 xícaras de leite desnatado
3 gemas
2 copos de leite desnatado em pó
2 ½ xícaras de ricota com até 7% de gordura
1 sachê de gelatina em pó sem sabor
5 colheres de sopa de adoçante
3 claras em ponto de neve

Ingredientes para a cobertura: geleia de goji berry
6 colheres de sopa de goji berries
300ml de água (o suficiente para cobrir as goji)
1 colher de sopa de adoçante culinário
1 colher de sopa de suco de limão
1 colher de sopa de gelatina em pó sabor morango ou cereja
1 colher de sopa de (opcional) pectina sem açúcar (para preservar por mais tempo)

- **Modo de preparo da massa**: Em uma tigela, misture todos os ingredientes da massa listada na ordem da receita, só tomando cuidado de não deixar a massa muito mole. Mexa com o auxílio de um garfo. Leve à geladeira por 30 minutos. Abra a massa entre dois plásticos e corte com o cortador de sua preferência. Coloque a massa em uma forma forrada

com papel manteiga e leve ao forno preaquecido a 180–210 graus por aproximadamente 30 minutos, até dourar por baixo, sempre monitorando o cozimento. Quanto mais tempo ficar no forno, mais crocante a massa ficará.

- **Modo de preparo do creme**: Enquanto a massa estiver assando, leve ao fogo uma panela com 1 xícara de leite, misturada às gemas, ao adoçante e ao leite em pó. Deixe ferver.

    Coloque no liquidificador e bata o creme que acabou de ser cozido com a ricota e a gelatina dissolvida no restante do leite. Depois de batido, junte as claras em neve delicadamente e despeje sobre a massa já assada e leve à geladeira.

- **Modo de preparo da geleia de goji berry**: Coloque as goji berries em uma panela pequena e adicione o suficiente de água para cobri-las. Deixe ferver em fogo médio por aproximadamente 10 minutos, mexendo delicadamente, até as goji absorverem a maior parte da água. Adicione uma colher de suco de 1 limão e o adoçante culinário em pó. É normal elas soltarem cor quando o suco de limão for adicionado. Mexa por mais alguns minutos, retire do fogo. Coloque a mistura em um prato e adicione o pó de gelatina com o sabor de sua preferência. Misture delicadamente. Se preferir, esmague as goji com um garfo para uma gelatina mais pastosa (opcional). Adicione a pectina para a geleia durar mais tempo. Coloque a geleia num pote de vidro com tampa e mantenha-a em geladeira. Consumir em até 5 dias.

Receita elaborada por Sandra Peres
Produzida por Mary Nigri - Quattrino restaurante

Sorvetes

Granita de café e canela

Para 2 pessoas
Tempo de preparo: 10 minutos | Tempo de refrigeração: 1h e 15 minutos
Fase: Ataque

Ingredientes
500ml de café preto quente
1 colher de chá de adoçante
1 colher de café de canela em pó
3 grãos de cardamomo

Modo de preparo

- Misture o café quente, o adoçante e as especiarias. Mexa e deixe esfriar.
- Despeje em um prato fundo e leve ao congelador por 1 hora.
- Quando retirar do congelador, triture por 1 minuto. Coloque a granita em dois copos grandes e leve à geladeira por 15 minutos.

Sorvete italiano de morango

Para 2 pessoas
Tempo de preparo: 15 minutos
Tempo de congelamento: no mínimo 2 horas e 30 minutos
Fase: Cruzeiro

Ingredientes

3 ovos
1 pitada de sal
180g de iogurte natural 0% de gordura, com consistência firme
4 colheres de sopa de pasta de cottage 0% de gordura
2 colheres de sopa de creme de leite com até 3% de gordura (alimento tolerado)
1 colher de café de adoçante líquido
1 colher de café de aroma de morango (pode-se substituir por outro aroma)

Modo de preparo

- Quebre os ovos em uma tigela, separando as gemas das claras. Bata as claras em ponto de neve firme, adicionando uma pitada de sal.
- Em outro recipiente, misture o iogurte, a pasta de cottage, o creme de leite, o adoçante, o aroma de morango e as gemas.
- Incorpore as claras em neve à mistura. Experimente-a para verificar se já está doce de acordo com o seu gosto. Coloque o sorvete em duas belas taças e leve ao congelador por no mínimo 2 horas e 30 minutos.

Picolé de baunilha

Para 4 pessoas
Tempo de preparo: 10 minutos | Tempo de congelamento: uma noite
Fase: Ataque

Ingredientes
300g de iogurte 0% de gordura
1 colher de chá de adoçante líquido
2 colheres de café de aroma de baunilha
4 fôrmas de picolé com palito

Modo de preparo
- Misture o iogurte com o aroma de baunilha.
- Adicione o adoçante e, em seguida, bata a mistura com uma batedeira.
- Encha as fôrmas de picolé com a massa e leve ao congelador por uma noite.
- Deguste os picolés no dia seguinte.

Sorvetes

Sorvete com creme sabayon sem sorveteira

Para 4 pessoas
Tempo de preparo: 15 minutos | Tempo de congelamento: uma noite
Fase: Ataque

Ingredientes

3 ovos
4 colheres de sopa de adoçante em pó
1 colher de sopa de aroma de baunilha
1 colher de sopa de água de flor de laranjeira (uso culinário)

Modo de preparo

- Coloque pequenas fôrmas individuais no congelador, para que gelem.
- Separe as claras das gemas dos ovos. Bata as claras em neve.
- Em uma tigela, misture as claras com a água de flor de laranjeira, o aroma de baunilha e o adoçante, até que a mistura adquira uma aparência espumosa. Bata como se fosse uma maionese doce.
- Incorpore delicadamente as claras em neve à mistura. Em seguida, despeje nas fôrmas individuais. Experimente para verificar se o sorvete está adoçado a seu gosto. Leve ao congelador por uma noite.

Sorvete de coco das Antilhas com sorveteira elétrica

Para 4 pessoas
Tempo de preparo: 20 minutos | Tempo na sorveteira: 30 minutos
Fase: Ataque

Ingredientes

3 gemas
1 colher de sopa de adoçante líquido
1 colher de café de canela em pó
1 pitada de noz-moscada
Raspas da casca de 1 limão
1 colher de café de água de flor de laranjeira (uso culinário)
5 gotas de aroma de manteiga
1 colher de café de aroma de coco
10 gotas de aroma de rum
3 colheres de sopa de iogurte 0% de gordura
300ml de leite desnatado
4ml de ágar-ágar

Modo de preparo

- Em uma tigela pequena, misture as gemas, o adoçante, a canela, a noz-moscada, as raspas da casca de limão, os aromas e a água de flor de laranjeira. Bata por alguns minutos na batedeira.

- Divida o leite em duas porções. Adicione a primeira metade à massa. Misture e reserve.

- Misture o iogurte ao restante do leite e ferva em uma panela. Adicione o ágar-ágar assim que o leite começar a ferver e mexa. Mantenha no fogo por alguns minutos, enquanto continua a mexer. Em seguida, retire do fogo.

- Incorpore o leite quente aos poucos em filetes e sem deixar de mexer a primeira mistura. Despeje na sorveteira e deixe em torno de 30 minutos, até que endureça. Experimente assim que retirar o sorvete da máquina.

Sorvete caseiro de iogurte

Rendimento: 1 litro
Tempo de preparo: 25 minutos | Tempo de congelamento: aprox. 2 horas
Fase: Ataque

Ingredientes

500 ml de leite desnatado
1 iogurte natural 0% de gordura
1 pitada de sal
3 ovos inteiros
3 gemas de ovos
8 colheres de sopa de adoçante em pó culinário

Modo de Preparo

- Esquente o leite, o iogurte e o sal. Desligue o fogo antes da ebulição. Reserve.
- Enquanto isso, bata as 3 gemas, em seguida, bata os ovos inteiros com o adoçante. Acrescente essa mistura ao leite, o iogurte e o sal reservados, e leve ao fogo brando até formar um creme consistente.
- Apague o fogo, coloque o creme em um recipiente e leve ao congelador por 2 horas.

Sorvete caseiro de baunilha

Rendimento: 500 ml
Tempo de preparo: 20 minutos | Tempo de congelamento: 3 horas
Fase: Ataque

Ingredientes

2 claras de ovo
5 colheres de sopa de adoçante em pó culinário
20 gotas de aroma de baunilha
1 colher de café de fermento em pó químico
6 colheres de sopa de leite em pó desnatado
80 ml de água fervente

Modo de preparo

- Em uma batedeira, em alta velocidade, bata as claras em ponto de neve bem firme. Quando estiver bem consistente, continue batendo adicionando aos poucos 2 colheres de adoçante em pó. Quando a mistura estiver homogênea, adicione o aroma de baunilha e reserve, na batedeira.

- Enquanto isso, no liquidificador, bata o leite em pó, as 3 colheres restantes de adoçante em pó e a água fervente, por aproximadamente 5 minutos.

- Despeje o conteúdo do liquidificador na batedeira e bata tudo junto, por aproximadamente 3 minutos.

- Em seguida, coloque o creme batido em uma vasilha com tampa (para não formar blocos de gelo) e leve ao congelador durante 3 horas.

Receita elaborada por Sandra Peres

Trufas

Para 2 pessoas
Tempo de preparo: 10 minutos | Tempo de refrigeração: 4 horas
Fase: Cruzeiro

Ingredientes

4 colheres de cacau sem açúcar (alimento tolerado) + um pouco para polvilhar as trufas
1 colher de sopa de iogurte natural 0% de gordura com consistência firme
5 colheres de sopa de leite desnatado em pó
2 gemas
5 gotas de aroma de manteiga
3 colheres de sopa de adoçante em pó

Modo de preparo

- Misture as 4 colheres de café de cacau em pó sem açúcar com o iogurte até obter a consistência de um creme encorpado.
- Adicione as gemas, o aroma de manteiga e o adoçante. Misture novamente. Junte uma a uma as colheres de leite em pó para ir endurecendo a mistura. Se não conseguir misturar bem, adicione uma colher de água para estruturar a massa. No caso dela ter ficado muito líquida, adicione um pouco mais de leite em pó.
- Faça pequenas bolas com a ajuda de colheres e coloque-as em um prato forrado com papel-manteiga.
- Leve à geladeira por no mínimo 4 horas. Antes de experimentar, coloque um pouco de cacau em pó sem açúcar em um prato e role as trufas, para cobri-las com o cacau.

Guloseimas

Beijinho de coco

Rendimento: 4 docinhos
Tempo de preparo: 15 minutos
Fase: Consolidação

Ingredientes

3 colheres de sopa de leite em pó desnatado
2 colheres de sopa de leite (líquido) desnatado
1 colher de sopa de adoçante em pó culinário
3 colheres de sopa de coco fresco ralado
cravo para enfeitar

Modo de preparo

- Misture os ingredientes secos e adicione o leite líquido aos poucos, mexendo constantemente com um garfo até obter o ponto de enrolar.
- Faça as bolinhas, passe-as no coco ralado e coloque um cravo-da-índia em cada docinho para enfeitá-lo.

Receita elaborada por Geovana Centeno (JôGaucha)
Produzida por Mary Nigri - Quattrino restaurante

Guloseimas

Bicho de pé

Rendimento: 4 docinhos
Tempo de preparo: 15 minutos
Fase: Cruzeiro

Ingredientes

3 colheres de sopa de leite em pó desnatado
2 colheres de sopa de gelatina em pó Zero sabor morango
1 colher de sopa de adoçante em pó
2 colheres de sopa de leite (líquido) desnatado

Modo de preparo

- Misture os ingredientes secos e adicione aos poucos o leite líquido mexendo constantemente com o auxílio de um garfo, até obter o ponto de fazer as bolinhas.
- Polvilhe os docinhos com leite em pó para enfeitá-los.

Receita elaborada por Geovana Centeno (JôGaucha)
Produzida por Mary Nigri - Quattrino restaurante

Guloseimas

Bolinhos tipo bem-casado

Rendimento: 10 bolinhos
Tempo de preparo: 20 minutos | Tempo de cozimento: 20 minutos
Fase: Cruzeiro

Ingredientes para massa
4 ovos
4 colheres de sopa de adoçante (ou a gosto)
6 colheres de sopa de farelo de aveia
2 colheres de sopa de amido de milho
1 colher de chá de fermento em pó

Ingredientes para o recheio
4 colheres de sopa de requeijão 0% de gordura
1 colher de sopa de leite em pó desnatado
2 colheres de chá de adoçante culinário (ou a gosto)
5 gotas de aroma de nozes/avelã ou de baunilha

- **Modo de preparo da massa**: Bata as claras em ponto de neve até ficarem bem firmes e reserve. Misture as gemas ao adoçante até clarear bem. Em seguida, acrescente os farelos e o fermento, sempre mexendo. Misture, delicadamente, esse creme de gema com as claras em neve. Coloque em uma fôrma de silicone ou antiaderente e leve ao forno preaquecido a 180-210 graus (dependendo do forno) por aproximadamente 20 minutos, monitorando o cozimento.
- **Modo de preparo do recheio**: Misture bem todos os ingredientes até formar um creme homogêneo. Se preferir, adicione uma colher de sopa de leite em pó desnatado.
- **Montagem**: Retire a fôrma do forno e espere esfriar um pouco. Com a ajuda de um copo pequeno de vidro com a boca redonda faça os círculos na própria massa. Pegue um dos bolinhos, recheie e cubra com outro bolinho. Continue até terminar a massa.

Receita elaborada por Geovana Centeno (JôGaucha)
Produzida por Mary Nigri - Quattrino restaurante

Brigadeiro de chuchu

Rendimento: 5 porções
Tempo de preparo: 30 minutos
Fase: Cruzeiro

Ingredientes

1 chuchu descascado e cortado em cubos
aroma de baunilha a gosto
2 colheres de sopa de adoçante culinário
1 colher de sopa de amido de milho
6 colheres de sopa de leite em pó desnatado
1 gema de ovo
1 colher de sopa de cacau em pó sem açúcar

Modo de preparo

- Cozinhe o chuchu em bastante água com gotas de baunilha a gosto. Quando estiver bem cozido, escorra a água e o coloque no liquidificador com o leite em pó e o adoçante.
- Bata bem, junte a gema, bata mais um pouco e despeje a massa na panela.
- Acrescente o cacau em pó e leve ao fogo baixo, por aproximadamente 3 minutos, ou até soltar do fundo da panela.
- Despeje num prato e deixe esfriar. Em seguida, enrole e passe as bolinhas em cacau em pó.

Receita elaborada por Sandra Peres
Produzida por Mary Nigri - Quattrino restaurante

Guloseimas

Brigadeiro de colher

Rendimento: 2 porções
Tempo de preparo: 10 minutos
Fase: Cruzeiro

Ingredientes
6 colheres de sopa de leite em pó desnatado
1 colher de sopa de adoçante culinário
1 colher de sopa rasa de cacau em pó sem açúcar

Modo de preparo

- Coloque os ingredientes em uma xícara ou tigela pequena e adicione água fervente aos poucos, até ficar bem cremoso ou até obter o ponto desejado. Quando estiver começando a ficar cremoso, pare de adicionar água.
- Deixe descansar um pouco. Após alguns minutos, a massa ganhará a consistência de brigadeiro de colher.
- Despeje em potes de sobremesa. Se deixar descansar mais alguns minutos, é possível enrolar em bolinhas de brigadeiro.
- Dica: se desejar formar bolinhas de brigadeiro, deixe no fogo por mais uns minutos.

Receita elaborada por Sandra Peres
Produzida por Mary Nigri - Quattrino restaurante

Churros

Rendimento: 6 porções
Tempo de preparo: 20 minutos | Tempo de cozimento: 20 minutos
Fase: Cruzeiro

Ingredientes

½ xícara de chá de água
1 colher de sopa de aroma de baunilha
½ xícara de chá de leite desnatado
1 colher de café de fermento químico
2 colheres de sopa de amido de milho
4 colheres de sopa de farelo de aveia
2 colheres de sopa de farelo de trigo
1 pitada de sal
1 pitada de canela
1 colher de café de adoçante culinário

Preparação

- Em uma tigela, misture os farelos de aveia e de trigo com o fermento e o amido de milho e reserve.
- Em uma panela, ferva a água, o leite, o sal e adicione a mistura de farelos. Misture tudo até que a massa não grude na panela.
- Despeje em uma tigela e deixe esfriar por pelo menos 30 minutos.
- Coloque a massa em um saco de confeitar e forme minichurros.
- Leve ao forno preaquecido a 210° graus por 20 minutos.
- Em seguida, coloque os bolinhos em um prato e polvilhe com canela.

Guloseimas

Barra de cereal de chocolate e tangerina

Para 4 pessoas
Tempo de preparo: 15 minutos | Tempo de refrigeração: 1 hora e 30 minutos
Fase: Cruzeiro

Ingredientes

8 colheres de sopa de farelo de aveia
7 colheres de sopa de leite desnatado em pó
6 colheres de sopa de adoçante culinário
4 colheres de café de cacau em pó sem açúcar (alimento tolerado)
1 colher de sopa de iogurte natural 0% de gordura
3 colheres de sopa de água
2 colheres de café de aroma de tangerina

Modo de preparo

- Em uma tigela pequena, misture o farelo de aveia, 4 colheres de sopa de leite em pó, 3 colheres de sopa de adoçante, 2 colheres de sopa de água e o aroma de tangerina, de modo a obter uma massa compacta e homogênea.
- Forre uma bandeja de plástico retangular com plástico filme. Espalhe a massa de forma bem regular. Leve ao congelador por no mínimo 30 minutos.
- Em outro recipiente, misture o cacau, as 3 colheres de sopa de leite em pó, 3 colheres de sopa de adoçante e uma colher de sopa de iogurte. Adicione uma colher de sopa de água, se for necessário, para obter um creme semilíquido.
- Despeje esse creme sobre a massa e leve ao congelador por no mínimo 1 hora.
- Quando estiver endurecido, desenforme e corte em 4 barras. Conserve na geladeira.

Guloseimas

Bala proteica de gelatina

Rendimento 4 porções
Tempo de preparo: 15 minutos | Tempo de refrigeração: 2 horas
Fase: Ataque

Ingredientes

1 sachê em pó de gelatina Zero, sabor de sua preferência
1 sachê em pó de gelatina incolor sem sabor

Modo de preparo

- Dissolva a gelatina do sabor de sua preferência em 150 ml de água fervendo.
- Hidrate a gelatina incolor em 10ml de água fria e deixe 10 segundos no micro-ondas.
- Misture as duas gelatinas até dissolverem bem.
- Brinque com sua imaginação, coloque-as em forminhas desenhadas e leva à geladeira por aproximadamente 2 horas.
- Quando estiverem durinhas, desenforme-as, corte-as em quadrados e sirva-as.

Receita elaborada por Sandra Peres

Mousse de tofu soft à Belle Hélène

Para 8 pessoas
Tempo de preparo: 15 minutos | Tempo de refrigeração: no mínimo 3 horas
Fase: Cruzeiro (tolerado)

Ingredientes

300g de tofu soft
8 polenguinhos light (alimento tolerado)
½ sachê de gelatina incolor em pó
2 colheres de café de aroma de baunilha
4 colheres de sopa de cacau em pó sem açúcar (alimento tolerado)
500ml de leite desnatado
2 colheres de chá de adoçante culinário

Modo de preparo

- Prepare a gelatina incolor conforme instruções do fabricante.
- Coloque o tofu macio, os polenguinhos light, o aroma de baunilha, o cacau em pó sem açúcar e em torno de $4/5$ do leite na tigela de uma batedeira. Bata até obter uma mistura espumosa.
- Esquente o restante do leite em uma panela pequena e adicione a gelatina. Adicione à tigela da batedeira o leite com a gelatina e também o adoçante. Bata novamente.
- Despeje em 4 pequenas taças e leve à geladeira por no mínimo 3 horas.

Mousse com raspas de limão

Para 4 pessoas
Tempo de preparo: 20 minutos | Tempo de refrigeração: no mínimo 2 horas
Fase: Ataque

Ingredientes

½ sachê de gelatina incolor em pó
casca de ½ limão
1 colher de café de aroma de limão
1 ovo
4 colheres de sopa de adoçante culinário
250g de pasta de cottage 0% de gordura
1 pitada de sal

Modo de preparo

- Prepare a gelatina incolor conforme instruções do fabricante.
- Rale a casca de ½ limão.
- Separe a clara da gema do ovo.
- Em uma tigela, misture a gema, 2 colheres de sopa de adoçante, a casca do limão ralada e 50 gramas da pasta de cottage para obter uma mistura bem lisa.
- Coloque a mistura em uma panela pequena e leve ao fogo brando. Esquente por 2 minutos. Retire do fogo. Adicione a gelatina e também o aroma de limão. Misture bem.
- Bata o restante da pasta de cottage e acrescente ao creme de limão.
- Bata a clara em ponto de neve firme, adicionando uma pitada de sal. Em seguida, acrescente 2 colheres de sopa de adoçante. Continue a bater por alguns minutos.
- Incorpore delicadamente a clara em neve ao creme de limão.
- Leve à geladeira por no mínimo 2 horas.

Mousse de chocolate com menta

Para 4 pessoas
Tempo de preparo: 20 minutos | Tempo de refrigeração: no mínimo 2 horas
Fase: Cruzeiro

Ingredientes

4 ovos
8 colheres de sopa de pasta de cottage 0% de gordura
4 colheres de café de cacau sem açúcar (alimento tolerado)
4 colheres de sopa de leite desnatado em pó
1 colher de café de aroma de menta
4 colheres de café de adoçante culinário
4 folhas de hortelã

Modo de preparo

- Separe as claras e as gemas dos ovos.
- Misture as gemas com a pasta de cottage, o cacau, o leite desnatado, o aroma de menta-pimenta e o adoçante.
- Bata as claras em ponto de neve bem firme, adicionando uma pitada de sal. Incorpore as claras em neve delicadamente à mistura.
- Despeje em 4 taças. Coloque uma folha de hortelã para decorar e leve à geladeira por no mínimo 2 horas antes de servir.

Mousse de chocolate

Rendimento: 2 porções
Tempo de preparo: 30 minutos
Fase: Cruzeiro

Ingredientes

½ xícara de creme de ricota light
2 colheres de sopa de iogurte desnatado 0% de gordura
3 colheres de sopa de cacau em pó sem açúcar
3 colheres de sopa de adoçante culinário (ou a gosto)
2 claras de ovo
1 colher de sopa de gelatina em pó sem sabor

Modo de preparo

- Misture bem o creme de ricota, o iogurte e o cacau em pó.
- Adicione delicadamente o adoçante e as claras em neve.
- Dissolva a gelatina sem sabor em ½ xícara de chá de água quente e misture ao creme de chocolate.
- Coloque em taças e leve para gelar.

Receita elaborada por Sandra Peres
Produzida por Mary Nigri - Quattrino restaurante

Ambrosia

Rendimento: 4 porções
Tempo de preparo: 20 minutos | Tempo de cozimento: 30 minutos
Fase: Cruzeiro, se utilizar vinagre, e Consolidação, se usar 1 limão

Ingredientes

500ml de leite desnatado
cravo e canela a gosto
2 colheres de sopa de leite em pó desnatado
4 ovos
2 colheres de sopa de adoçante culinário
suco de 1 limão ou 2 colheres de sopa de vinagre
1 colher de chá de extrato de baunilha

Modo de preparo

- Ferva o leite (líquido) e o leite em pó. Enquanto isso, bata os ovos no liquidificador.
- Coloque o suco do limão, ou o vinagre, nos leites fervidos, e em seguida derrame os ovos batidos.
- Deixe ferver um pouco em fogo alto, mexendo sempre.
- Após ferver, diminua o fogo e cozinhe por mais 30 minutos, ou até secar a água.

Receita elaborada por Sandra Peres
Produzida por Mary Nigri - Quattrino restaurante

Flans & pudins

Flan de ovos

Para 4 pessoas
Tempo de preparo: 15 minutos | Tempo de cozimento: 30 minutos
Fase: Ataque

Ingredientes

6 ovos
½ litro de leite desnatado
2 colheres de aroma de baunilha
2 colheres de chá de adoçante culinário
1 pitada de noz-moscada em pó

Modo de preparo

- Quebre os ovos em uma tigela e bata-os.
- Coloque o leite em uma panela e esquente sem deixar ferver, adicionando o aroma de baunilha e a noz-moscada.
- Junte o leite quente com os ovos. Acrescente o adoçante.
- Despeje a mistura em pequenas fôrmas ou tigelas e leve ao forno em banho-maria a 160 graus, por 30 minutos. Vigie o cozimento a partir dos 20 minutos.

Loucura branca

Para 4 pessoas
Tempo de preparo: 30 minutos | Tempo de refrigeração: no mínimo 2 horas
Fase: Cruzeiro

Ingredientes

suco de 2 limões
raspas da casca de 1 limão
½ sachê de gelatina incolor em pó
100g de iogurte natural 0% de gordura
2 colheres de sopa de adoçante culinário
2 claras
1 pitada de sal

Modo de preparo

- Esprema 2 limões e rale a casca de 1 limão.
- Prepare a gelatina conforme orientações do fabricante.
- Esquente o suco dos limões em uma panela pequena e adicione a gelatina, o iogurte e o adoçante.
- Bata as claras em neve, adicionando uma pitada de sal, e incorpore-as delicadamente à mistura.
- Despeje a massa em uma fôrma canelada e leve à geladeira por no mínimo 2 horas.

Flans & pudins

Creme bávaro com avelã

Para 4 pessoas
Tempo de preparo: 20 minutos | Tempo de refrigeração: no mínimo 2 horas
Fase: Ataque

Ingredientes

½ sachê de gelatina incolor em pó
2 colheres de chá de adoçante culinário
1 colher de café de aroma de baunilha
4 claras
400g de iogurte natural 0% de gordura
40 gotas de aroma de avelã
1 pitada de sal

Modo de preparo

- Prepare a gelatina incolor conforme instruções do fabricante.
- Esquente um pouco de água em uma panela pequena. Adicione o aroma de baunilha e a gelatina. Espere dissolver e retire do fogo. Acrescente o adoçante.
- Bata as claras em neve, adicionando uma pitada de sal. Junte a calda de gelatina, sem parar de mexer. Acrescente o iogurte e o aroma de avelã.
- Despeje a mistura em uma fôrma canelada e leve à geladeira por no mínimo 2 horas.

Creme de caramelo e ágar-ágar

Para 4 pessoas
Tempo de preparo: 15 minutos | Tempo de cozimento: 15 minutos
Tempo de refrigeração: no mínimo 3 horas
Fase: Ataque

Ingredientes
1l de leite desnatado
2 colheres de café de ágar-ágar
1 colher de café de aroma de caramelo
8 colheres de sopa de adoçante culinário

Modo de preparo
- Em uma panela, esquente o leite até ferver.
- Diminua a temperatura do fogo para o mínimo, adicione o ágar-ágar e mexa.
- Apague o fogo e adicione o aroma de caramelo e o adoçante.
- Despeje a mistura em taças individuais e deixe esfriar em temperatura ambiente. Em seguida, leve à geladeira por no mínimo 3 horas.

Flans & pudins

Flans & pudins

Gelatina de frutas

Para 4 pessoas
Tempo de preparo: 10 minutos | Tempo de refrigeração: uma noite
Fase: Ataque

Ingredientes

4 xícaras de água
1 sachê de gelatina incolor em pó
Aroma no sabor de sua escolha (aroma de limão, laranja, tangerina, morango, framboesa, maracujá, amêndoa etc.) ou chá de frutas
4 a 6 colheres de sopa de adoçante culinário em pó (ou a gosto)

Modo de preparo

- Em uma panela, esquente a água até ferver. Nesse meio-tempo, prepare a gelatina incolor conforme instruções do fabricante.
- Abaixe o fogo após a ebulição da água. Adicione o aroma escolhido, a gelatina e o adoçante, de acordo com o seu gosto. Misture bem e despeje em uma tigela ou, melhor ainda, em pequenas fôrmas individuais para muffins ou caneladas.
- Deixe esfriar em temperatura ambiente e leve à geladeira por uma noite.

Creme de ovos

Para 4 pessoas
Tempo de preparo: 15 minutos | Tempo de cozimento: 30 minutos
Fase: Ataque

Ingredientes
500ml de leite desnatado
4 colheres de sopa de adoçante culinário
2 ovos
2 gemas

Modo de preparo

- Preaqueça o forno a 220 graus.
- Coloque o leite em uma panela e deixe ferver em fogo médio. Adicione o adoçante.
- Em uma tigela, misture os ovos e as gemas.
- Adicione delicadamente o leite quente a essa mistura e mexa. Despeje em pequenas tigelas e leve ao forno preaquecido a 220 graus por 30 minutos.
- Sirva quente assim que sair do forno ou frio, diretamente nas pequenas tigelas.

Flans & pudins

Creme de chocolate com laranja

Para 4 pessoas
Tempo de preparo: 5 minutos | Tempo de cozimento: 20 minutos
Fase: Cruzeiro

Ingredientes

400ml de leite desnatado
4 pitadas de canela em pó
4 colheres de café de cacau em pó sem açúcar (alimento tolerado)
4 colheres de café de aroma de laranja
4 colheres de sopa de adoçante culinário
4 ovos

Modo de preparo

- Preaqueça o forno a 180 graus.
- Em uma panela, coloque o leite e a canela e deixe ferver. Adicione o cacau, o aroma de laranja e o adoçante e deixe esquentar.
- Em uma tigela, bata os ovos e incorpore delicadamente o leite quente.
- Despeje a mistura em pequenas tigelas e leve ao forno para que cozinhem em banho-maria por 20 minutos a 180 graus.
- Sirva quente assim que sair do forno ou frio. Polvilhe cacau em pó sem açúcar sobre o creme.

Flans & pudins

Creme de chocolate Dukanette

Rendimento: 4 porções
Tempo de preparo: 20 minutos
Fase: Cruzeiro

Ingredientes

500ml de leite desnatado
2 colheres de sopa de cacau em pó
1 gema de ovo (opcional, para deixar o doce mais cremoso)
2 colheres de sopa de amido de milho
6 colheres de sopa de adoçante culinário (ou a gosto)
2 colheres de sopa de creme de leite light (até 3% de gordura)

Modo de preparo

- Misture todos os ingredientes e leve ao fogo até engrossar.
- Cubra-o com um plástico e leve à geladeira.
- Antes de consumi-lo, bata-o na batedeira e despeje-o em potes de sobremesa para servir.

Receita elaborada por Sandra Peres
Produzida por Mary Nigri - Quattrino restaurante

Flans & pudins

Creme de café

Para 4 pessoas
Tempo de preparo: 5 minutos | Tempo de cozimento: 20 minutos
Fase: Ataque

Ingredientes

600ml de leite desnatado
1 colher de café de aroma de café (ou de café solúvel)
3 ovos
4 colheres de sopa de adoçante culinário

Modo de preparo

- Em uma panela, adicione o leite desnatado e o aroma de café. Deixe ferver.
- Em uma tigela, bata os ovos com o adoçante e incorpore a mistura de leite com café, mexendo sempre.
- Despeje em pequenas tigelas e leve ao forno em banho-maria por 20 minutos, a 150 graus.
- Sirva frio.

Flans & pudins

Flan de baunilha

Para 4 pessoas
Tempo de preparo: 10 minutos | Tempo de cozimento: 50 minutos
Fase: Cruzeiro

Ingredientes
½ l de leite desnatado
2 colheres de sopa de aroma de baunilha (ou fava)
2 ovos
1 colher de chá de adoçante culinário
4 colheres de sopa de amido de milho (alimento tolerado)

Modo de preparo

- Aqueça o leite em uma panela e adicione o aroma de baunilha (ou a fava).
- Em uma tigela, bata os ovos. Acrescente o adoçante, em seguida, o amido de milho, e mexa. Despeje o leite quente, misturando bem. Coloque a mistura de volta na panela e continue a mexer por alguns minutos em fogo brando, até que a mistura fique encorpada.
- Despeje em uma fôrma e leve ao forno por 40 minutos, a 180 graus. Ao fim do cozimento, ative a função grill por alguns segundos para obter uma bela camada dourada.

Flans & pudins

Pudim de café

Rendimento: 8 fatias
Tempo de preparo: 20 minutos | Tempo de cozimento: 30 minutos
Fase: Cruzeiro

Ingredientes
30g de amido de milho
8 colheres de sopa de leite em pó desnatado
250ml de café coado
3 ovos
20 gotas de aroma de rum
3 colheres de sopa de adoçante culinário

Modo de preparo
- No liquidificador, bata os ovos com o aroma de rum.
- Aos poucos, acrescente o leite em pó e o café. Bata mais um pouco.
- Por último, acrescente o amido de milho.
- Coloque em uma fôrma de silicone e leve ao forno preaquecido a 180-210 graus por aproximadamente 30 minutos, monitorando o cozimento.

Receita elaborada por Geovana Centeno (JôGaucha)
Produzida por Mary Nigri - Quattrino restaurante

Pudim de leite

Rendimento: 4 porções
Tempo de preparo: 1 hora | Tempo de cozimento: 30 minutos
Fase: Cruzeiro

Ingredientes para o pudim
12 colheres de sopa de leite em pó desnatado
6 colheres de sopa de adoçante culinário
3 ovos
300ml de água

Ingredientes para a calda
3 colheres de sopa de adoçante
½ xícara de chá de água
algumas gotas de aroma de baunilha (ou a gosto)

Modo de preparo

- Bata os ingredientes do pudim no liquidificador. Separadamente, misture os ingredientes da calda e jogue-a no fundo de uma fôrma pequena.
- Em seguida, despeje a massa do pudim na fôrma em que preparou a calda.
- Leve ao forno preaquecido a 180-210 graus (dependendo do forno) por aproximadamente 30 minutos.
- Desenforme depois de frio.

Receita elaborada por Sandra Peres
Produzida por Mary Nigri - Quattrino restaurante

Flans & pudins

Pudim de iogurte caseiro

Rendimento: 8 fatias
Tempo de preparo: 20 minutos | Tempo de cozimento: 45 minutos
Fase: Ataque

Ingredientes
3 ovos
9 colheres de sopa de leite em pó desnatado
250ml de leite desnatado (líquido)
200g de iogurte desnatado 0% de gordura
3 colheres de sopa de adoçante culinário (ou a gosto)
20 gotas de aroma de coco (ou a gosto)

Ingredientes para a calda
6 colheres de sopa de adoçante culinário
300ml de água

Modo de preparo
- Bata todos os ingredientes do pudim no liquidificador.
- Enquanto isso, em um panela, misture o adoçante com os 300ml de água e leve ao fogo até começar a ferver.
- Jogue essa calda na forma de pudim e, em seguida, despeje por cima a mistura batida no liquidificador.
- Leve ao forno preaquecido a 210 graus por aproximadamente 45 minutos, monitorando o cozimento.

Receita elaborada por Geovana Centeno (JôGaucha)
Produzida por Mary Nigri - Quattrino restaurante

Pudim na xícara

Rendimento: 1 porção
Tempo de preparo: 10 minutos | Tempo de cozimento: aprox. 3 minutos
Fase: Ataque

Ingredientes para o pudim
130ml de leite morno (líquido) desnatado
3 colheres de sopa de leite em pó desnatado
2 colheres de chá de adoçante culinário
1 clara de ovo
10 gotas de aroma de baunilha (ou a gosto)

Ingredientes para a calda
1 colher de sopa de adoçante
1 colher de café de água

Modo de preparo

- Em uma caneca de 350ml que possa ir ao micro-ondas coloque os ingredientes da calda, mexa bem e leve ao micro-ondas por 20 segundos. Retire a caneca e mexa, sem colher, de um lado para outro. Leve novamente ao micro-ondas, por mais 20 segundos, e repita o gesto até formar uma calda. O processo todo dura aproximadamente 1 minuto.

- Retire a caneca do micro-ondas e coloque-a por cima de um pano seco para evitar choque térmico. Se necessário, acrescente mais uma colher de água (vai depender da consistência que ficou no fundo da caneca). Bata os ovos e acrescente o leite líquido e o leite em pó, o aroma e o adoçante. Mexa bem e jogue o creme na caneca onde está a calda. Leve novamente ao micro-ondas, por mais 1 minuto. Se ainda estiver líquido, deixe mais 30 segundos e assim por diante (no máximo até 3 minutos). Retire a caneca do micro-ondas e abafe-a com um pano por 10 minutos. Desenforme e sirva.

Receita elaborada por Geovana Centeno (JôGaucha)
Produzida por Mary Nigri - Quattrino restaurante

Flans & pudins

Bolo-pudim de coco

Rendimento: 10 fatias
Tempo de preparo: 10 minutos | Tempo de cozimento: 25 minutos
Fase: Consolidação

Ingredientes

8 colheres de sopa de leite em pó desnatado
300ml de leite desnatado (líquido)
3 ovos
2 colheres de sopa de adoçante culinário (ou a gosto)
15 gotas de aroma de coco (ou a gosto)
100g de coco fresco ralado
30g de amido de milho

Modo de Preparo

- Bata no liquidificador os 3 ovos com o aroma de coco por 3 minutos.
- Adicione o leite em pó, o leite desnatado, o adoçante, o amido de milho e bata novamente, por mais 3 minutos.
- Por último, acrescente o coco ralado e dê uma rápida batida (liga e desliga).
- Coloque em uma forma de pudim e leve ao forno preaquecido a 180–210 graus (dependendo do forno) por aproximadamente 25 minutos, monitorando o cozimento.

Receita elaborada por Geovana Centeno (JôGaucha)
Produzida por Mary Nigri - Quattrino restaurante

Flans & pudins

Bolo-pudim de chocolate

Rendimento: 10 fatias
Tempo de preparo: 20 minutos | Tempo de cozimento: 25 minutos
Fase: Consolidação

Ingredientes

1 pacote de pudim em pó sabor chocolate sem açúcar
6 colheres de sopa de farelo de aveia
2 colheres de sopa de farelo de trigo
3 colheres de sopa de leite em pó desnatado
10 colheres de sopa de leite desnatado (líquido)
2 colheres de chá de fermento em pó
2 colheres de sopa de adoçante culinário
2 ovos

Modo de preparo

- Misture todos os ingredientes secos, acrescente os dois ovos e o leite a essa mistura, e mexa bem novamente.
- Leve ao forno preaquecido a 180-210 graus (dependendo do forno) por aproximadamente 25 minutos, monitorando o cozimento.

Receita elaborada por Geovana Centeno (JôGaucha)
Produzida por Mary Nigri - Quattrino restaurante

Flans & pudins

Muhallebi de Istambul

Para 4 pessoas
Tempo de preparo: 5 minutos | Tempo de cozimento: 12 minutos
Tempo de refrigeração: no mínimo 4 horas
Fase: Cruzeiro

Ingredientes

4 colheres de sopa de amido de milho (alimento tolerado)
4 colheres de sopa de adoçante
4 xícaras de leite desnatado
2 colheres de sopa de água de flor de laranjeira ou de água de rosas
canela em pó

Modo de preparo

- Em uma tigela, dissolva aos poucos o amido de milho com um pouco de leite, de forma a obter uma massa homogênea.
- Coloque o restante do leite em uma panela e aqueça em fogo médio. Assim que o leite borbulhar, adicione o amido de milho dissolvido, mexendo energicamente. Mantenha no fogo médio. Deixe a mistura ferver, sempre mexendo. Depois reduza o fogo e continue a mexer, até a mistura revestir a colher. Adicione o adoçante e a água de flor de laranjeira. Misture e retire do fogo.
- Despeje em quatro pequenas tigelas e leve à geladeira por 4 horas. Polvilhe com canela em pó antes de servir.

Panna cotta de cereja e amêndoa

Para 4 taças
Tempo de preparo: 15 minutos | Tempo de refrigeração: no mínimo 4 horas
Fase: Ataque

Ingredientes
400g de tofu soft
1 colher de café de aroma de cereja
1 colher de café de aroma de amêndoa
4 colheres de café de adoçante culinário
½ sachê de gelatina incolor em pó
4 colheres de sopa de leite desnatado

Modo de preparo

- Prepare a gelatina incolor conforme instruções do fabricante.
- Coloque metade do tofu na tigela de uma batedeira. Adicione o aroma de cereja e a metade do adoçante. Bata até que a mistura fique bem lisa.
- Encha o fundo de quatro taças.
- Recomece o processo com o restante do tofu, o aroma de amêndoa e o adoçante.
- Em uma panela pequena, esquente o leite desnatado em fogo brando. Acrescente a gelatina ao leite quente. Quando estiver dissolvida, incorpore a mistura de leite rapidamente à mistura de tofu e amêndoa. Bata até que fique bem lisa. Despeje na metade superior das taças. Leve à geladeira por no mínimo 4 horas.

Flans & pudins

Creme de chocolate e banana com tofu

Para 4 pessoas
Tempo de preparo: 10 minutos | Tempo de refrigeração: 6 horas
Fase: Cruzeiro

Ingredientes

300g de tofu soft
500ml de leite desnatado
1 colher de café de aroma de banana
4 colheres de café de cacau em pó sem açúcar (alimento tolerado)
2 colheres de chá de adoçante líquido
2 iogurtes, natural, 0% de gordura

Modo de preparo

- Coloque todos os ingredientes na tigela de uma batedeira. Bata até que a mistura fique com uma aparência espumosa.
- Despeje em taças grandes. Leve à geladeira por 6 horas.
- Agite antes de servir.

Rocambole de chocolate

Para 6 pessoas
Tempo de preparo: 30 minutos | Tempo de cozimento: 15 minutos
Tempo de refrigeração: no mínimo 2 horas
Fase: Cruzeiro

Ingredientes
300ml de leite desnatado
½ sachê de gelatina incolor em pó
8 ovos
6 colheres de sopa de amido de milho (alimento tolerado)
17 colheres de sopa de adoçante culinário
2 colheres de café de aroma de chocolate
2 colheres de café de aroma de baunilha
2 colheres de café de água de flor de laranjeira (uso culinário)
2 colheres de chá de fermento químico
6 colheres de café de cacau em pó sem açúcar (alimento tolerado)
7 colheres de sopa de leite desnatado em pó
½ xícara de chá de leite desnatado
1 pitada de sal

■ **Modo de preparo do creme:** Em uma panela, aqueça 300ml de leite desnatado em fogo brando. Prepare a gelatina incolor conforme instruções do fabricante. Em uma tigela, junte 2 ovos, 2 colheres de amido de milho, 4 colheres de sopa de adoçante e 2 colheres de café de aroma de chocolate. Misture bem, até obter uma massa lisa. Adicione delicadamente o leite quente e mexa. Recoloque a mistura na panela e leve ao fogo brando, mexendo até que a massa fique encorpada. Retire do fogo e acrescente a gelatina, antes de mexer novamente o creme. Leve à geladeira.

■ **Modo de preparo do pão de ló:** Preaqueça o forno a 180 graus. Separe as claras das gemas de 6 ovos. Misture as 6 gemas com o fermento, 4 colheres de sopa de amido de milho, 10 colheres de sopa de adoçante 2 colheres de sopa de água de flor de

laranjeira e 2 colheres de café de aroma de baunilha. Em uma tigela, bata as 6 claras em neve, acrescentando uma pitada de sal. Incorpore-as delicadamente à mistura anterior. Despeje a massa em uma assadeira forrada com papel-manteiga. A massa deve ter espessura de cerca de 1 centímetro, de modo a apresentar uma forma bem retangular que poderá ser enrolada. Ajuste a grelha à metade da altura do forno. Asse de 8 a 10 minutos a 180 graus.

- **Modo de preparo da cobertura**: Misture 4 colheres de cacau em pó sem açúcar com 3 colheres de sopa de adoçante, 7 colheres de sopa de leite desnatado e adicione aos poucos o leite, observando para conservar um creme encorpado mas bem liso. Espalhe a cobertura sobre o rocambole e depois polvilhe com cacau. Leve à geladeira por pelo menos 2 horas.

- **Montagem**: Retire o pão de ló do papel-manteiga, tomando cuidado para não quebrá-lo. Coloque-o sobre um pano úmido, para poder enrolá-lo. Espalhe o creme sobre o pão de ló com cuidado e enrole no sentido da largura.

Rocambole de chocolate com recheio de creme de coco

Rendimento: 12 fatias
Tempo de preparo: 10 minutos | Tempo de cozimento: 20 minutos
Fase: Consolidação

Ingredientes para a massa
4 ovos inteiros
3 colheres de sopa de adoçante em pó
3 colheres de sopa de farelo de aveia
2 colheres de sopa de cacau em pó sem açúcar

Ingredientes para o recheio
50g de coco fresco ralado
50ml de leite desnatado
8 colheres de sopa de leite em pó desnatado
1 colher de sopa de adoçante em pó culinário
20 gotas de aroma de coco (ou a gosto)

Cobertura
200ml de leite desnatado
1 colher de sopa de amido de milho
1 colher de sopa de adoçante culinário
2 colheres de chá de cacau em pó sem açúcar

- **Modos de preparo da massa**: Bata os ovos no liquidificador por uns 2 minutos, sem parar. Adicione o adoçante, o farelo de aveia e o cacau em pó e bata mais um pouco. Despeje a massa em uma fôrma antiaderente e leve ao forno a 180 graus por 20 minutos, monitorando o cozimento.
- **Modo de preparo do recheio**: Em um recipiente, coloque o coco ralado, o adoçante e o leite em pó e misture bem todos

os secos. Adicione o leite e o aroma e mexa até obter uma pasta (não vai ao fogo).

- **Modo de preparo da cobertura**: Misture os ingredientes e leve ao fogo, mexa sempre até engrossar.
- **Montagem**: Retire a massa do forno e desenforme-a por cima de um pano úmido. Coloque o recheio e enrole em formato de rocambole. Cuba a massa com a cobertura.

Mil-folhas redondo

Para 4 pessoas
Tempo de preparo: 30 minutos | Tempo de cozimento: 30 minutos
Tempo de refrigeração: no mínimo 1 hora
Fase: Cruzeiro

Ingredientes para a massa
4 ovos
4 gemas
2 colheres de sopa de amido de milho (alimento tolerado)
1 colher de café de aroma de manteiga

Ingredientes para a cobertura
1 clara
1 colher de sopa de adoçante

Ingredientes para o creme de confeiteiro
½ sachê de gelatina incolor em pó
2 ovos
2 colheres de café rasas de amido de milho
4 colheres de sopa de adoçante culinário
2 colheres de café de aroma de baunilha

- **Modo de preparo da massa**: Preaqueça o forno a 180 graus. Em uma tigela, separe as claras das gemas de 4 ovos. Da mesma forma, separe as gemas das claras dos 4 ovos restantes, e reserve uma clara para a cobertura. Misture as gemas com o aroma de manteiga e o amido de milho. Bata as claras em ponto de neve bem firme e incorpore-as delicadamente. Despeje a massa sobre papel-manteiga, de forma a obter círculos do mesmo diâmetro. Leve ao forno a 180 graus por 20 minutos, verificando regularmente o cozimento.
- **Modo de preparo do creme de confeiteiro**: Prepare a gelatina incolor conforme instruções do fabricante. Em uma tigela, junte 2 ovos, 2 colheres de café de amido de milho, 4 colheres de sopa de adoçante e 2 colheres de café de aroma de baunilha. Misture, de modo a obter um creme bem liso. Esquente o leite em uma panela pequena. Adicione o leite quente, mexendo, e aqueça o creme em fogo brando. Mexa continuamente até que o creme fique encorpado. Retire do fogo, adicione a gelatina e continue a mexer, até a gelatina dissolver completamente. Deixe esfriar.
- **Modo de preparo da cobertura**: Bata a clara em neve e adicione o adoçante.
- **Montagem**: Alterne camadas de círculo de massa e de creme, até sobrar apenas um círculo de massa por cima. Adicione em seguida a cobertura e leve à geladeira por no mínimo 1 hora.

Petit gâteau à francesa

Para 4 pessoas
Tempo de preparo: 10 minutos
Tempo de cozimento: 6 a 12 minutos, de acordo com o forno
Fase: Cruzeiro

Ingredientes
3 ovos
3 colheres de sopa de amido de milho (alimento tolerado)
180g de iogurte natural 0% de gordura com consistência firme
3 colheres de café de cacau em pó sem açúcar (alimento tolerado)
1 + ½ colher de adoçante culinário
1 colher de café de fermento

Modo de preparo
- Bata todos os ingredientes na batedeira. Despeje a massa em uma fôrma pequena para micro-ondas, coberta com a tampa ou plástico filme.
- Leve ao forno micro-ondas por 6 minutos (potência máxima).
- Se preferir utilizar um forno convencional (fôrma sem tampa), o tempo de cozimento é de 10 a 12 minutos.
- Ao terminar o cozimento, retire a fôrma do forno e coloque o petit gâteau sobre uma folha de papel-toalha.

Grandes clássicos revisitados

Petit gâteau à brasileira

Rendimento: 2 porções
Tempo de preparo: 20 minutos | Tempo de cozimento: 7 minutos
Fase: Estabilização

Ingredientes

2 ovos
½ xícara de leite em pó desnatado
1 xícara de cacau em pó sem açúcar
2 colheres de sopa de adoçante culinário

Modo de preparo

- Misture todos os ingredientes, coloque-os em forminhas de silicone e leve ao forno a 180-210 graus (dependendo do forno) por aproximadamente 7 minutos, monitorando o cozimento.

Receita elaborada por Sandra Peres.
Produzida por Mary Nigri - Quattrino restaurante

Grandes clássicos revisitados

Tiramisu "The Residence"

Para 4 pessoas
Tempo de preparo: 30 minutos | Tempo de cozimento: 10 minutos
Tempo de refrigeração: no mínimo 30 minutos
Fase: Cruzeiro

Ingredientes para o creme de confeiteiro: 400ml de leite desnatado; 4 colheres de sopa rasas de adoçante; 1 gema; 2 ovos; 1 colher de café de essência de baunilha; 3 colheres de sopa de amido de milho (alimento tolerado); 40g de iogurte natural 0% de gordura

Ingredientes para o biscoito: 1 ovo; 2 ½ colheres de sopa rasas de adoçante culinário; 1 colher de café de aroma de baunilha; casca de ½ limão; 1 colher de sopa de amido de milho (alimento tolerado); 1 colher de café de fermento químico; 1 xícara de café para embeber o biscoito; cacau em pó sem açúcar (alimento tolerado)

■ **Modo de preparo do creme de confeiteiro:** Aqueça o leite com o aroma de baunilha, até ferver. Dissolva a amido de milho em um pouco de leite frio. Bata todos os ovos (2 inteiros + 1 gema) com o adoçante. Adicione o amido de milho e depois 1/3 do leite quente. Despeje essa mistura nos 2/3 de leite restantes. Leve tudo ao fogo e mexa continuamente, até que o creme fique encorpado. Incorpore o queijo a 200g de creme de confeiteiro.

■ **Modo de preparo do biscoito tiramisu:** Preaqueça o forno a 180 graus. Separe a clara da gema do ovo. Rale a casca de ½ limão. Em um refratário, bata a gema com o adoçante e o aroma de baunilha até que a mistura fique cremosa. Adicione a casca ralada do limão, o amido de milho e o fermento. Bata a clara em ponto de neve bem firme e incorpore-a à mistura cremosa. Despeje em uma assadeira forrada com papel-manteiga e leve ao forno por cerca de 10 minutos. Ainda quente, desenforme e deixe esfriar sobre uma grelha. Corte o biscoito em pequenos círculos com a ajuda de cortadores de biscoito do mesmo tamanho da taça ou copo de vidro no qual pretende servir a sobremesa. Coloque os biscoitos nas taças ou copos e embeba-os de café. Cubra cada camada com creme e polvilhe com cacau. Repita o procedimento até obter três níveis. Leve ao refrigerador por no mínimo 30 minutos antes de servir.

Agradeço ao hotel "The Residence", na Tunísia, e seu chef pâtissier, Feker Jlassi, por esta deliciosa receita.

Cannelé à Dukan

Para 4 pessoas
Tempo de preparo: 5 minutos | Tempo de cozimento: 1 hora e 5 minutos
Fase: Cruzeiro

Ingredientes

250ml de leite desnatado
2 colheres de café de aroma de baunilha
½ colher de café de aroma de rum
1 ovo
1 gema
5 colheres de sopa de amido de milho (alimento tolerado)
3 colheres de sopa de adoçante culinário

Modo de preparo

- Preaqueça o forno a 240 graus.
- Em uma panela, ferva o leite com o aroma de baunilha.
- Nesse meio-tempo, misture o amido de milho, o adoçante e os ovos em uma tigela. Em seguida, acrescente o aroma de rum e o leite fervido à mistura. Mexa delicadamente a fim de obter uma massa líquida, deixe esfriar.
- Despeje a massa em fôrmas de silicone para cannelés. Leve ao forno a 240 graus por 5 minutos. Em seguida, baixe a temperatura para 180 graus e deixe assar por 1 hora, de modo que os cannelés fiquem com uma crosta morena e o interior bem macio.

Grandes clássicos revisitados

Bolo levíssimo de chocolate de Gênova

Para 2 pessoas
Tempo de preparo: 10 minutos | Tempo de cozimento: 20 minutos
Fase: Cruzeiro

Ingredientes

4 ovos
5 colheres de sopa de adoçante culinário
2 colheres de café de cacau em pó sem açúcar (alimento tolerado)
Raspas da casca de 1 laranja
40g de amido de milho (alimento tolerado)

Modo de preparo

■ Preaqueça o forno a 180 graus.

■ Separe as claras das gemas dos 4 ovos.

■ Bata as claras em neve.

■ Misture as gemas dos ovos, o cacau e o adoçante. Em seguida, adicione as raspas da casca da laranja e o adoçante. Incorpore delicadamente às claras em neve.

■ Despeje em uma fôrma forrada com papel-manteiga e leve ao forno por 20 minutos, até que o bolo fique com uma linda cor. Vigie o cozimento.

Ilhas flutuantes

Para 4 pessoas
Tempo de preparo: 5 minutos | Tempo de cozimento: 20 minutos
Tempo de refrigeração: no mínimo 2 horas

Fase: Ataque

Ingredientes
4 ovos
800ml de leite desnatado
2 colheres de café de aroma de baunilha
3 colheres de chá de adoçante culinário
1 pitada de sal

Modo de preparo

- Em uma tigela, separe as gemas das claras dos ovos. Esquente o leite e o aroma de baunilha em uma panela. Bata as 4 gemas, misture-as com o adoçante e junte delicadamente com o leite quente, mexendo com uma colher de pau. Continue esquentando a mistura em fogo brando, até o creme engrossar e revestir a colher.
- Leve ao fogo uma panela cheia de água até que ferva.
- Em outra tigela, bata as claras em ponto de neve bem firme, adicionando uma pitada de sal. Faça pequenos bolinhos com a clara em neve e escalde-os na água fervente em ambos os lados.
- Despeje o creme inglês em um grande recipiente para servir e coloque as claras sobre o creme. Leve à geladeira por no mínimo 1 hora.

Grandes clássicos revisitados

Cupcakes de choco-framboesa e de choco-menta

Para 4 pessoas
Tempo de preparo: 15 minutos | Tempo de cozimento: 15 minutos
Fase: Cruzeiro

Ingredientes
4 colheres de sopa de farelo de aveia
2 colheres de sopa de farelo de trigo
4 colheres de café de cacau em pó sem açúcar (alimento tolerado)
2 colheres de café de adoçante culinário
2 colheres de chá de fermento químico
2 colheres de sopa de iogurte natural 0% de gordura
4 ovos
10 colheres de café de adoçante em pó
4 colheres de sopa de leite desnatado em pó
corante alimentar vermelho-rosa
corante alimentar verde
aroma de framboesa
aroma de menta

Modo de preparo

■ Preaqueça o forno a 180 graus.

■ Em uma tigela, misture o farelo de aveia, o farelo de trigo, o cacau e o adoçante. Adicione o fermento e o iogurte. Separe as claras das gemas de 2 ovos. Acrescente as gemas à mistura e também 2 ovos inteiros. Reserve as claras. Despeje a massa em fôrmas de silicone para muffins e leve ao forno a 180 graus por 15 minutos, vigiando o cozimento.

■ Nesse meio-tempo, prepare as coberturas: adicione o adoçante em pó às claras. Divida em dois recipientes. Em um, junte o corante vermelho-rosa e o aroma de framboesa. No outro, o corante verde e o aroma de menta. Acrescente pouco a pouco e delicadamente o leite em pó a cada recipiente, de modo a obter uma consistência bem encorpada de um glacê clássico. Cubra metade dos muffins com a cobertura de framboesa e a outra metade com a de menta.

■ Leve à geladeira para endurecer o glacê.

Grandes clássicos revisitados

Bolo do rei à Dukan

Para 4 pessoas
Tempo de preparo: 15 minutos | Tempo de cozimento: 35 minutos
Fase: Ataque

Ingredientes para o recheio frangipane
2 ovos
1 colher de sopa de farelo de trigo
2 colheres de sopa de farelo de aveia
3 colheres de sopa de adoçante culinário
2 colheres de sopa de iogurte natural 0% de gordura
4 colheres de sopa de proteína isolada de soja
2 colheres de sopa de aroma de amêndoa

Ingredientes para a massa
3 ovos
1 pitada de sal
½ sachê de fermento
4 colheres de sopa de proteína isolada de soja
½ xícara de leite desnatado
4 colheres de sopa de adoçante culinário
1 colher de café de aroma de avelã

- **Modo de preparo do recheio frangipane**: Em uma tigela, misture todos os ingredientes para o recheio e reserve.
- **Modo de preparo da massa**: Preaqueça o forno a 180 graus. Em um recipiente, separe as claras das gemas dos ovos. Bata as claras em ponto de neve bem firme, adicionando uma pitada de sal. Em outra tigela, misture o restante dos ingredientes. Incorpore delicadamente as claras em neve. Despeje metade da massa em uma fôrma redonda de silicone ou em uma assadeira redonda forrada com papel-manteiga. Leve ao forno por 6-7 minutos, a 180 graus. Repita o procedimento para a outra metade da massa. Monte a galette: coloque uma massa como base, espalhe o recheio e coloque a outra camada de massa por cima. Leve novamente ao forno preaquecido a 180 graus, por 20 minutos.

Grandes clássicos revisitados

Torta de Saint-Tropez à Dukan

Para 4 pessoas
Tempo de preparo: 20 minutos | Tempo de descanso: no mínimo 2 horas
Tempo de cozimento: 30 minutos
Fase: Cruzeiro

Ingredientes para o creme: ½ litro de leite desnatado; 1 colher de chá de aroma de baunilha; 1 colher de sopa de aroma de baunilha; 2 gemas; 2 colheres de sopa de adoçante (em pó ou líquido); 2 colheres de sopa de amido de milho (alimento tolerado); 1 colher de sopa de água de flor de laranjeira (uso culinário)

Ingredientes para o bolo: 4 colheres de sopa de farelo de aveia; 2 colheres de sopa de farelo de trigo; 2 ovos; 2 colheres de sopa de adoçante culinário; 4 colheres de sopa de leite desnatado em pó; 1 iogurte natural 0% de gordura; 15g de fermento biológico dissolvido em 1 colher de sopa de leite quente; 2 colheres de sopa de água de flor de laranjeira

---

- **Modo de preparo do creme**: Em uma panela, adicione o leite desnatado, o aroma de baunilha ou a fava de baunilha cortada em dois. Espere ferver. Em uma tigela, separe as gemas dos ovos e misture-as com o adoçante. Acrescente o amido de milho e a flor de laranjeira. Quando o leite estiver bem quente, despeje a mistura da gema na panela e mexa até o creme ficar encorpado e revestir a colher. Deixe esfriar.

- **Modo de preparo do bolo:*** Preaqueça o forno a 180° C. Com um mixer, processe o farelo de aveia e o farelo de trigo para afinar um pouco os grãos. Em uma tigela, misture os ovos com o adoçante. Adicione os farelos, o leite desnatado, o iogurte, o fermento e a flor de laranjeira. Amasse bem a mistura. Em seguida, cubra a tigela com um pano de prato e deixe descansar por no mínimo 2 horas em um local bem-aquecido. Coloque a massa em uma fôrma para tortas forrada com papel-manteiga. Leve ao forno por 25 minutos, a 180 graus. Quando o bolo estiver assado, deixe esfriar. Quando estiver frio, corte-o em dois no sentido da espessura e cubra o primeiro disco com o creme. Coloque a outra metade do bolo por cima, polvilhe o adoçante e leve à geladeira.

* Também é possível fazer uma massa de pão de ló levíssimo. (Conferir p. 58)

Rabanada à francesa

Para 4 pessoas
Tempo de preparo: 20 minutos | Tempo de cozimento: 10 minutos
Fase: Ataque

Ingredientes para o pão
4 colheres de sopa de farelo de aveia
2 colheres de chá de fermento químico
2 colheres de sopa de iogurte natural 0% de gordura
2 ovos

Ingredientes adicionais
2 ovos
200ml de leite desnatado
1 colher de chá de adoçante culinário
2 colheres de café de aroma de baunilha
canela

- **Modo de preparo do pão**: Em uma tigela pequena, processe com um mixer o farelo de aveia em grãos bem finos. Adicione o restante dos ingredientes. Misture. Despeje essa mistura em um recipiente retangular de plástico (que possa ir ao micro-ondas) e leve ao micro-ondas por 4 minutos. Desenforme e deixe esfriar. Em seguida, corte em belas fatias.

- **Para a finalização do pain perdu**: Em um prato fundo adicione os ovos, o adoçante, o leite, o aroma de baunilha e a canela. Bata com um garfo. Mergulhe as fatias de pão na mistura. Aqueça uma frigideira em fogo alto e acrescente algumas gotas de óleo. Espalhe o óleo, retirando o excesso com papel-toalha. Cozinhe cada lado da fatia de pão por 1 a 2 minutos, em fogo médio. Deixe esfriar e sirva.

Sobremesa para beber

Lassi de manga

Para 4 pessoas
Tempo de preparo: 10 minutos | Tempo de refrigeração: no mínimo 30 minutos
Fase: Ataque

Ingredientes
4 iogurtes naturais 0% de gordura
1 xícara de leite desnatado
4 colheres de café de adoçante culinário
1 colher de café de aroma de manga

Modo de preparo

- Bata todos os ingredientes no liquidificador ou na batedeira por 2 minutos.
- Despeje em 4 copos grandes e leve à geladeira por no mínimo 30 minutos. Sirva bem gelado.
- O aroma pode ser substituído à vontade para criar a sobremesa com outros sabores – sabor de frutas, lassis salgados, lassis de rosa etc.

Sobremesas de consolidação

Gelatina de rosa com manga e lichia

Para 4 pessoas
Tempo de preparo: 15 minutos | Tempo de cozimento: 5 minutos
Tempo de refrigeração: no mínimo 1 hora
Fase: Consolidação

Ingredientes
1 manga grande – madura, mas ainda firme
20 lichias frescas
6 colheres de sopa de água de rosas (uso culinário)
6 colheres de sopa de adoçante culinário
200ml de água
½ sachê de gelatina incolor em pó
folhas de hortelã

Modo de preparo

- Descasque a manga, corte-a em cubos de cerca de 1,5 centímetro e reserve na geladeira em uma tigela. Descasque as lichias, retire os caroços e leve-as à geladeira, em outro recipiente.
- Prepare a gelatina incolor conforme instruções do fabricante. Coloque-a em seguida em uma panela pequena com 50ml de água. Deixe fundir em fogo baixo, mexendo sempre.
- Retire a panela do fogo, adicione 150ml de água e a água de rosas, mexendo suavemente. Adicione o adoçante.
- Leve a panela à geladeira por cerca de 30 minutos, até que a gelatina comece a ficar consistente. Em seguida, retire-a da geladeira.
- Escorra a água das frutas, depois coloque-as em copos grandes, intercalando com camadas de gelatina.
- Leve os copos à geladeira. Na hora de servir, decore com folhas de hortelã.

Compota de frutas vermelhas e ágar-ágar

Para 4 pessoas
Tempo de preparo: 15 minutos | Tempo de cozimento: 10 minutos
Fase: Consolidação

Ingredientes

500g de frutas vermelhas variadas (exceto cereja)
20ml de água
8 colheres de sopa de adoçante culinário
800ml de suco de maçã
2 colheres de café de aroma de cereja
4 gramas de ágar-ágar

Modo de preparo

- Cozinhe as frutas vermelhas com o adoçante e os 200ml de água de 5 a 6 minutos.
- Dissolva o ágar-ágar no suco de maçã, em seguida adicione às frutas, mexendo bem. Adicione o aroma de cereja.
- Deixe ferver e cozinhe de 3 a 4 minutos, misturando suavemente.
- Coloque a mistura em potes de vidro com tampa ou em pequenos potes de vidro previamente escaldados, e feche-os rapidamente.
- Esta compota vai enfeitar seus iogurtes, laticínios e tortas. O tempo de conservação na geladeira é de 1 semana.

Gelatina de pera

Para 4 pessoas
Tempo de preparo: 10 minutos | Tempo de cozimento: 20 minutos
Tempo de refrigeração: no mínimo 4 horas
Fase: Consolidação

Ingredientes
1 sachê de gelatina incolor em pó
4 peras
250ml de água
1 colher de café de aroma de conhaque
1 canela em pau
1 cravo-da-índia
2 anis-estrelado
casca de 1 laranja
3 colheres de chá de adoçante culinário

Modo de preparo

- Prepare a gelatina incolor conforme instruções do fabricante.
- Descasque as peras, corte-as em dois e tire o miolo e os caroços. Coloque as peras em uma panela junto com a casca de laranja e as especiarias (canela em pau, cravo-da-índia, anis-estrelado).
- Acrescente a água e o aroma. Cozinhe em fogo brando por 20 minutos com a panela tampada.
- Retire do fogo e deixe esfriar por alguns minutos. Com uma escumadeira, retire as peras e as especiarias do caldo do cozimento. Adicione ao caldo o adoçante, a gelatina e misture bem.
- Disponha a pera no fundo e nas laterais de uma fôrma redonda, de preferência de silicone. Em seguida, acrescente o caldo do cozimento. Leve à geladeira por no mínimo 4 horas.

Smoothie de hortelã e frutas vermelhas

Para 4 pessoas
Tempo de preparo: 10 minutos
Fase: Consolidação

Ingredientes

4 iogurtes grego 0% de gordura (alimento tolerado)
300g de frutas vermelhas congeladas (morango, framboesa, mirtilo...)
8 folhas de hortelã (ou uma colher de café de aroma de menta)
4 colheres de café de adoçante culinário
4 colheres de sopa de farelo de aveia
250ml de leite desnatado
6 cubos de gelo

Modo de preparo

- Coloque todos os ingredientes no liquidificador.
- Bata por no mínimo 1 minuto e meio, até obter uma mistura bem lisa.
- Despeje em 4 copos grandes e sirva em seguida.

Maçãs ao merengue gelado

Para 4 pessoas
Tempo de preparo: 10 minutos | Tempo de cozimento: 10 minutos
Tempo de refrigeração: no mínimo 5 horas
Fase: Consolidação

Ingredientes
4 maçãs
3 claras
1 pitada de sal
Canela
4 sachês de adoçante
1 limão

Modo de preparo

- Descasque as maçãs, retire o miolo e as sementes. Corte em pedaços e adicione o suco do limão, para evitar que escureçam.
- Polvilhe com canela, cubra o recipiente e cozinhe por 6 minutos no micro-ondas (ou cerca de 10 minutos se cozinhar no vapor).
- Ao retirar do micro-ondas (ou do cozimento a vapor), as maçãs devem estar moles para serem amassadas em purê. Deixe esfriar.
- Rale a casca do limão. Bata as claras em ponto de neve bem firme, adicionando uma pitada de sal. Incorpore-as delicadamente ao purê de maçã e às raspas da casca do limão. Em seguida, adicione o adoçante.
- Despeje em 4 belas taças, de modo a formar uma cúpula de merengue gelado. Leve à geladeira por no mínimo 5 horas.

CIP-BRASIL. CATALOGAÇÃO NA FONTE
SINDICATO NACIONAL DOS EDITORES DE LIVROS, RJ.

Dukan, Pierre, 1941-
D914c   Confeitaria Dukan / Pierre Dukan ; tradução Suelen Lopes. - 1. ed. - Rio de Janeiro : BestSeller, 2013.
il.

Tradução de: La Pâtisserie Dukan
Inclui apêndice
ISBN 978-85-7684-241-5

1. Dukan, Pierre, 1941-. 2. Dieta de emagrecimento. 3. Hábitos alimentares - França. 4. Emagrecimento. 5. Nutrição. I. Título.

13-06190   CDD: 613.25
                                                                                                     CDU: 613.24

Texto revisado segundo o novo Acordo Ortográfico da Língua Portuguesa.

Título original
La Pâtisserie Dukan
Copyright © 2011 by Pierre Dukan
Copyright da tradução © 2013 by Editora Best Seller Ltda.

Capa: Sense Design
Adaptação de projeto e composição de Renata Vidal da Cunha
Fotos para receitas nacionais de Rafael Wainberg
Receitas nacionais cedidas por Geovana Centeno e Sandra Peres
Elaboração de receitas nacionais pela chef Mary Nigri (restaurante Quattrino)

Todos os direitos reservados. Proibida a reprodução, no todo ou em parte, sem autorização prévia por escrito da editora, sejam quais forem os meios empregados.

Direitos exclusivos de publicação em língua portuguesa para o Brasil adquiridos pela
EDITORA BEST SELLER LTDA.
Rua Argentina, 171, parte, São Cristóvão
Rio de Janeiro, RJ – 20921-380
que se reserva a propriedade literária desta tradução

Impresso no Brasil

ISBN 978-85-7684-241-5

Seja um leitor preferencial Record.
Cadastre-se e receba informações sobre nossos lançamentos e nossas promoções.

Atendimento e venda direta ao leitor
mdireto@record.com.br ou (21) 2585-2002

Saiba mais em:
www.dietadukan.com.br

Este livro foi composto na tipologia Century Gothic,
e impresso em papel couché fosco 115g/m² na LIS Gráfica e Editora Ltda..